萧乾 主编

新编文史笔记丛书

第二辑

24

昆仑采玉录

季羡林题

◎新疆维吾尔自治区文史研究馆 编
●陈希明 欧阳克嶷 吾提库尔 主编

中華書局

目录

诗词楹联

名人轶事

官场百态

艺文集锦

西域风光

百业话旧

佳肴珍果

观风问俗

新编文史笔记丛书

序

萧　乾

读书界向来对野史有所偏爱。野史大多是信手拈来的历史片断，且往往出自亲历者之手。文直事核，不虚美，不隐恶，而文笔潇洒自如，意味隽永，自然朴实，篇幅不长；可以摊开来仔细咀嚼，也可供茶余酒后、行旅倥偬中，随手浏览。

鲁迅在《华盖集》中，曾几次对野史表示过好感。在《忽然想到》一文中写道："历史上都写着中国的灵魂，指示着将来的命运，只因为涂饰太厚，废话太多，所以很不容易察出底细来。正如通过密叶投射在莓苔上面的月光，只看见点点碎影。但如看野史和杂记，可更容易了然了，因为他们究竟不必太摆史官的架子。”又在同书《这个与那个》一文中说：“野史和杂说自然也免不了有讹传，挟恩怨，但看往事却可以较分明，因为它究竟不像正史那样地装腔作势。”

全国文史研究馆所编的《新编文史笔记》丛书，内容也属野史杂说的范畴。我们希望这些以亲闻、亲见、亲历为主的轶事掌故、琐闻杂记，写人、事而摒除误会曲解，述历史而符合真实面目。

作为一种短隽有味，文字清奇而又雅俗共赏的文学体裁，笔记在中国具有悠久的传统。它始自魏晋，盛行于宋代。南朝刘义庆的《世说新语》，北宋沈括的《梦溪笔谈》，南宋陆游的《老学庵笔记》，明朝张岱的《陶庵梦忆》，清朝纪昀的《阅微草堂笔记》以及20世纪30年代初丰子恺的《缘缘堂随笔》，都是文学史上的奇葩。然而，近年来笔记乏人问津。因此，我们出这一套书，也包含着挽回颓势之意。

全国三十二所文史研究馆拥有雄厚的稿源，两千多位馆员和各馆联系的社会人士，都是丛书的撰稿人。他们都是文史界的耆宿，见多识广，阅历丰富：有的反对过帝制，有的在“五四”运动中扛过大旗，他们目睹过军阀的横行霸道，也经历过艰苦卓绝的八年抗战。这些历尽沧桑的饱学之士，他们的所见所闻，都是弥足珍贵的史料。

本丛书分辑出版，分别由各地文史研究馆编辑，内容亦以本乡本土为主。因此，各册势必具有浓厚的地方色彩。

本着笔记固有的传统，所收各文题材不嫌庞杂。举凡与文史有关的政治、经济、军事、文化、社会等方面，或记闻见杂事，或叙往昔交游，或忆社会百态，均在搜罗之列。时间跨度则自清末以迄1949年为止。这正是中华民族从闭关自守到走向世界，从落后羸弱到奋发图强，是天翻地覆、风起云涌的大半个世纪。其间，发生过多少可歌可泣的事迹，涌现过多少杰出的人物。以这一时间跨度为背景题材写出的笔记作品，必然是内容最为丰厚的。

在选稿标准上，我们坚持史料一定要真，内容要新；既要防止以讹传讹，也力避炒冷饭。在写法上务求短小精悍、生动活泼。每篇以千字为度，希望借此在文风方面，提倡一下简约。在版式上，则想做到既利于阅读，又便于携带。

恳切希望文史界方家及广大读者，不吝赐正。

哈密藩王朝觐纪实

范承渠

清代所封各少数民族藩王以朝觐为荣。九世哈密王沙莫胡索特终生朝觐十六次。现谨记第十五次朝觐情况。

出发日期由阿西木阿訇占卜选定。出发前，王府所属天山榆树沟、八大石、芨芨台子等地人户(注:王属下领地的家，牧民称人户，有别于奴隶，除地租外需服无偿劳役或贡赋)在由哈密至星星峡一路设立十二个招待站（二百余公里），准备进京人员食宿。出星星峡离开藩王领地后，则由打前站人员分两拨携带伙夫交替前往联系准备。因王信奉伊斯兰教,清政府指令各地州县沿途供应清真食料,由王府自行烹饪。住宿处由当地负责外卫、自己负责内卫。此次随行人员官员有六十余人,杂役、护卫、马夫八十余,共一百四十余人。装载贡品的三十多辆马车早于王驾三天出发。

出发日,王府上下悬旗结彩。大门插龙旗,二门插狮旗,三门插王印旗,四门插太阳旗,五门插星月旗,六门插七星旗,八门插石星旗,九门插金星旗,旗系金银线盘绣,灿烂辉煌。出发前一日,王爷将离哈期间的全权交给王府大台吉(官职名,首席管事)代摄,并鸣放礼炮,张贴布告,让全体人户知晓。

启程当天,沙亲王身穿御赐马褂,一出王爷台即鸣礼炮三响,行至大堂又鸣炮三响,堂前上轿,每逢门必鸣炮,共三十九响。王府全体官员均在府前恭送。因事前已知照哈密厅和协台衙门及城区居民,送行和看热闹的人布满了街道,人山人海。从回城西门到艾山巴依桥并有军队、衙役排班致敬,奏乐欢送;由老城西门外到花果山由各商店摆设香案供果,焚香恭送;从花果山出城到廖家湾远郊大路旁,则由阿訇率农民、人户沿途祝祷,高呼:“愿安拉保佑我们王爷一路平安!”沙王的轿子四周有由达甫鼓、唢呐组成的乐队伴行。王府海提甫(官职名)买买提尼牙孜身背两个大包,给每个士兵散发银票一两,帖子一张,上写:“谢谢!”每到一处香案,也散给谢帖一张，收去供果一块，以示王爷已接受盛情。

沙王晋京队伍排列，最前是大阿訇“引路”，他身穿排力加(大衣)，头缠白纱，肩上斜背红色金丝绒包袱，内装《古兰经》一本。接着是阿訇和宗教法官各一人，并排。其后武装官员二十人，亦分两路，其中一人乘马举伞(红色、黄柄、金顶，四周镶珠宝璎珞，柄端有一弯月形金属插鞘，插在马鞍前)。武官后为三名并肩乘马的护卫，披甲佩刀，护卫着沙王八抬大轿，轿后为四十名枪手卫士。之后为一辆双马皮包马车，车后有匹披着丝质马衣的走马，出城后一般不乘轿，或坐车或骑马。

到达北京后，先向宫廷申奏，然后住在“哈密馆”等候召见。

哈密藩王贡品一瞥

范承渠

藩王进京朝觐，例贡多土特珍异之物。仅以清末哈密王一次进贡，贡品即如下列：

六七到八叉上等鹿茸六十架；

毛毯、丝毯三十四条；

跳兔皮袄两件，狐皮马褂十八件，黑狐皮袄十八件，白狐皮袄十八件，扫雪皮袄两件，猞猁皮袄二十件，白羔羊皮袄二十件；

库车黑羊羔皮袄二十件，白羊羔皮袄二十件；

驼毛袜子二十双；

熊皮褥子十八条；

走马十八匹；

牛皮精制马笼头二十副，马嚼口二十副，丝编马缰二十根；

哈萨克佩刀二十把；

羚羊角若干对；

汗胡库什鸟粪(主治腹痛、经痛)二斤；

蜂蜡十斤，磨刀石五十双，芨芨草绳(用黄绸缎交织)二十根；

石榴一大箱；

特制哈密瓜干、葡萄干、杏干、桃皮干、纸皮胡桃等干果共三千斤。

其他。

贡品来源，全筹集于人户。农民按贫富分别交白银三十至四十两，牧民按羊只交纳四十分之一(大畜折算，有标准)，并限定全要母畜。

贡品如此之多，当然不能取之于一日，往往提前一两年即着手筹备。如跳兔这种小动物，仅产于哈密龙王庙北部的艾曼土拉地方，大仅如鼠，一件皮袄需百余张皮，早一年即征集一批女奴，用水浇灌洞穴捕捉，方能凑齐两件皮袄。特制哈密瓜干用的绵瓜，产于哈密五堡地方，每年由青年妇女(限定未生育过的)于秋后晒制，并编扎成饼状。各种兽皮，则由王府额定由天山六区、伊吾六区交纳,一般一区需交黑、白、黄狐皮、扫雪皮、猞猁皮各八至十五张,再征集老弱人户加工制皮,缝制成皮筒子。每区每年需交两架鹿茸。收集六十架鹿茸也颇费周折,需几年功夫。所以说件件贡品,无不浸透人户的汗和泪。

清代藩王民国新贵

范承渠

清康熙时册封的哈密维吾尔族藩王相传九世共二百三十三年,民国初仍保留王制。共和初建,九世王沙莫胡索特要求晋京朝觐。民国三年(1914)5月20日由新疆督军杨增新呈报北京政府批准,发给川资银洋二千元。

12月1日,沙莫胡索特自哈密起程,随行人员有:王子、辅国公聂孜尔,固山章京(都统)、梅楞章京(副都统)各一员,牛录章京(佐领)四员,拨什库(骁骑校)八员,书记官一员,加上护卫,随丁、马夫、厨夫共四十四名,分别乘坐骡拉轿车和马拉大车及骑马,走了五十三天,于民国四年(1915)1月23日到京。2月1日,沙莫胡索特朝见了北京政府大总统袁世凯。2月5日,袁世凯赐颁沙莫胡索特一等嘉禾章,封聂孜尔为贝子。2月20日,袁世凯设宴招待晋京朝觐及驻京各蒙、回王公,沙莫胡索特及王子聂孜尔应召出

席。2月24日,袁世凯颁布文告,内称:“该亲王远在回疆,深明大义,联合各部,赞助共和,久为本大总统所深悉。兹复远道入觐观国之光,特给双俸以示优异。”3月3日,又授予沙莫胡索特为翊卫使,和“管理哈密地方蒙古镶红回旗世袭罔替头等札萨克双亲王”衔。3月27日,袁世凯下令加发一个月廪饩,以示关怀。在京两个月,总理府每天发给沙莫胡索特及其随行人员银洋十五元,大米三斗三升。4月8日,沙莫胡索特一行踏上归程。先乘京汉铁路火车至河南渑池,再乘车马经陕西、甘肃返哈。袁世凯又发川资三千元,大米五石,另外每天补助银洋三十元,沿途所需车辆、骡马、食用肉类、米面均责成地方官吏及驿站供给。

这便是清代藩王、民国新贵沙莫胡索特第十六次,也是最后一次朝觐。

母畜送葬队

维吾尔族·索帕阿訇　王东军译

九世哈密回王沙莫胡索特于民国十九年(1930)5月间病故。出殡之日,倾城出动送葬。前有王室成员、哈密文武百官执绋,后有一支母畜送葬队紧跟百官缓慢行进。这支奇特的送葬队由母骆驼四峰,母骡四匹,母山羊四只,母绵羊四只组成,全系白色,无一根杂毛,各由一名身披重孝的伯克(旧时维吾尔族特有的官职)牵引。这些母畜刚产过崽,一时不见小崽,便大声哀叫。一路上哭啼声此起彼落,形成母畜也为回王啼哭致哀的错觉。

据当事人回忆,5月初接羔季节已过,为寻觅四种纯白色、刚产崽的母畜,不知翻遍多少山沟,煞费心机,才凑足这个吉祥的数字。

新疆的“官媒”

王广荣

新疆从乾隆中期划归陕甘总督节制后,罪犯的充军流放,皆由东北改发伊犁、乌鲁木齐、巴里坤等地,或当差,或犯屯。清政府为防止流犯集中滋事,规定玛纳斯河以西的屯兵、遣犯不准携带家眷。为解决这些人的婚姻问题,特地设“媒官”两人司其事,非官媒所指配,不得私相嫁娶。这种指配为婚的“官媒制”,推行了较长的一段时间。

“我们都是中国人”

哈萨克族·尼合迈德·蒙加尼

1912年,北京举行第一次国会选举,居住在我国西北边陲的阿尔泰(现为阿勒泰)地区的哈萨克人也选出了扎卡里亚为议员，带领随员巴彦毛拉晋京。他俩从阿尔泰出发,跋山涉水,横跨广阔的蒙古草原，走了几个月，才到达张家口,然后改乘火车来到首都北京。

可是,这两个远路客来早了,只好住下来等候大会开幕。他们带的茶用完了,又喝不惯北京人的绿茶。为了寻找喝惯的茯茶,巴彦毛拉费尽周折,最后通过手势,使一家店老板明白了他的意思,才帮他买到一块茯茶。

这件事，他的内心深受震动。茯茶虽已买到，值得欣慰，但语言隔阂的烦恼一时难以平静。他想起老人曾经说过,一切知识的根基在于语言,不管到哪,都要学哪儿的语言。我们是中国人,首先要学中国的国语——汉语。于是,从那天起,就认认真真地学起汉语来,打下了初步的基础。

他从北京归来后，仍未间断汉语汉文的学习。他是哈萨克人中第一批熟悉汉语的知识分子。后来,他来到迪化(今乌鲁木齐)工作。1922

年，他经新疆督军杨增新同意，在迪化兴办蒙哈学堂，招收阿尔泰、塔城、伊犁三个地区的哈萨克族学生，与蒙古族学生在一起攻读汉语汉文。这是最早使用双语教学的新式学堂。

一次，巴彦毛拉来到这座学校，听到学生们的朗读声："我是中国人，你是中国人，他也是中国人，我们都是中国人……"他听得非常高兴，就走进教室对学生们说："我学汉语，是在又渴又恼的时候，从'茶叶'这个名词开始的，这件事我永远忘不了。而你们学汉语，是从'我们都是中国人'这句很有意义的话开始的，这一点你们要永远记在心里。我们都是中国人，必须学好中国的国语汉语。"巴彦毛拉这段话，至今还在哈萨克人中广为流传。

乌苏一上将

廖基衡

蒙古旧土尔扈特东部落右旗原游牧于库尔喀喇乌苏（今乌苏县），其第六代郡王帕勒塔是一个有争议的风云人物。帕勒塔早年留学日本，回国后历任土尔扈特乌纳恩素珠克图盟长、科布多帮办大臣、阿尔泰办事大臣兼督办西北边防事宜。辛亥革命后改任阿尔泰办事长官，并因赞助共和有功，北京政府颁令晋升为亲王。

1911年年底，外蒙古宣布独立，并派军侵犯阿尔泰，帕勒塔出兵抵御，毫无战果。幸新疆增援，团长张键指挥得当，士兵奋勇，两次获胜，始解阿尔泰之危。帕勒塔以此函电纷飞，向北京政府邀功请赏。民国二年(1913)1月大总统特令嘉奖："帕勒塔着加陆军上将衔，并颁予三等嘉禾章。"

民国二年冬，帕勒塔与俄国驻阿尔泰领事先后签订两次临时条约，后为北京政府所废除，不久，因帕勒塔妄图独立，而被撤销其阿尔泰办事长官兼督办西北边防事宜职务。

民国四年(1915)袁世凯称帝，帕勒塔代表土尔扈特东部落上表忠心拥戴，所以帕勒塔病故时，北洋政府以襄威将军衔从优给予上将例恤。

从现存新疆文史档案上看，帕勒塔获有陆军上将衔一事，未见载入史籍，因而鲜为人知，故在此补著一笔。

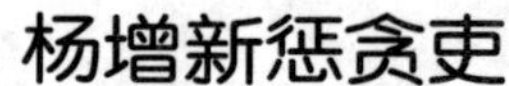

杨增新惩贪吏

罗绍文

杨增新为了解地方利弊、民情苦乐，鼓励人民上控违法虐民的地方官吏。一时雷厉风行，邮禀朝飞，查令夕至，致使一些狼贪暴戾之辈，胆颤心惊。尚有一点天良的,则闭门思过,革面洗心;但有一些则对上控者采取对策或横加报复;有的请邻县将上控者于途中查拿;有的派差役赴省城拘捕;有的则将上控回县的人拘押问罪;还有的则串通邮局司事,将上控呈词扣留不发。

杨增新查悉此等情况后,十分震怒,他说:“如此下去,本省长对地方情况将毫无闻知,流弊所及,伊于胡底?人民含覆盆之冤,永无见光之日,真要使此等冤民‘不知羔羊缘底事,暗死屠门无一声’吗?痛哉,民国之民!酷哉,民国之官也!此等官吏,如始终狃于积习不改,本省长定将照章严惩不贷!”

时喀什道属十二州县,即有十一个知州知县,因贪污公款和勒索民财,被撤职查办。和田知州谢维新和伊犁县知事廖炎等被处极刑枪毙。最彻底的是对英吉沙尔县知事顾桂芬的处理,顾在查案中病故,杨增新还令派专人到顾桂芬原籍江苏兴化县查抄其家产抵补赃款,并不因其已死而罢休。

匡时不识时

黄万贤

匡时,字可行,湖北人。清末来新疆作幕僚,以其好用危言,被袁大化驱逐出境,逗留于肃

州。伊犁革命后,冯特民、李辅黄以重金礼聘匡为谋主。当其赴伊犁时,路经迪化,曾在劝学所题联云:

迪简在庭,所以劝士也;

化民成俗,其惟学校乎。

人皆赞其才华,遂被杨增新所赏识,并极力结纳,密授机宜,让他去伊犁后为省方效力,相机削弱或消灭革命力量。

匡时到伊犁,一面迭报伊犁机密,一面离间革命党人关系, 同时密结当时统领马队的回族悍将马得元。在杨增新的策划下,匡时指使马得元将伊犁革命中坚人物冯特民、李辅黄枪杀于街头。

不久,匡时被调至省城,出任昌吉县县长。

民国四年(1915)末,袁世凯图谋称帝,由杨度等发起筹安会,运动各省劝进。杨增新积极组织国民投票, 赞成帝制。匡时认为杨氏此举悖谬, 上万言书劝杨讨袁, 合署名者有徐学功等人。徐学功早在 1911 年即病故,所以杨阅后便嘲问:“署名者皆是殁世之人,何又作祟?”匡云:“我之万言书,惟有去世君子讨逆,贪生怕死小人才拥袁也,将军以为如何?”杨不答。

一日,匡谒见杨,同至西花园“补过斋”谈话。行至督署后花园,杨佯称解手闪入厕所,暗中令人在匡背后发一枪,当即毙命,时年五十。

事后杨增新制联语云:

官居昌吉原非吉;

名叫匡时不识时。

由禁到种

金国珍

1913年12月,杨增新颁布了《禁烟通令》,并张贴"禁种鸦片,如违枪毙"的布告。但当沙俄侵略军窜入新疆时,杨增新均以鸦片犒赏官兵,以鼓励士气。前线指挥官还经常电促杨增新迅速运送鸦片,电文中有"军事紧急,黑粮关重"的内容。民间贩运鸦片,商人亦用"戊己"作暗号,传递鸦片行情及官方动静。

1924年,杨增新又公布三条禁烟令:一、禁止英俄侨民在新疆省境内种烟;二、限制俄、英商民将国外毒品输入新疆;三;禁止出境或在新疆境内种烟。这三条禁令系针对当时俄国斋桑等边境地区招募华工种植鸦片而发。表面上堂而皇之,实际上明禁暗种,也可说是假禁真种。

1928年,杨增新改"禁烟令"为"种烟令",其目的是解决财政危机。并在省成立"土药罚款局"。规定凡贩运鸦片或在新疆境内种植鸦片者,必须交纳百分之三十的印花税,将税花贴在烟土包上,作为纳税凭证,便能畅通无阻。于是新疆境内罂粟花遍地,烟馆林立,这是我亲眼目睹的事实。

马仲英二进哈密轶闻

范承渠

1932年，哈密农民暴动首领禾加尼牙孜鉴于农民军处境不利，决定派出代表到甘肃搬请马仲英进疆协助，八名代表是夏呼尔麻、司马义大头、马履康、肉孜阿訇、乌斯曼夏、巴海尼牙孜、阿不地阿訇、尧道昌。他们携带了皮毛、金银等礼品共十驮到酒泉，马仲英答应协助。这时马仲英部已接受国民政府改编，番号为陆军第三十六师，马任师长。

1933年5月，马仲英率部约三千人到达哈密。哈密各界人士派代表到三十公里外的黄芦岗一带迎接、慰问。见到马部大部分士兵徒步，骑兵只有四五百人，衣衫褴褛，有的脚上无鞋，用破布包裹。辎重、行李用木轮大车拉着。

哈密各界头面人物则齐集城外阿牙桥以东的接官亭迎候。接官亭是一座有三间房子大小的敞厅，飞檐起脊。厅内临时铺下白毡和和田毯子，摆好干果细点和盖碗茶，对马仲英表示欢迎。

马仲英身高一米八十左右，人称尕司令，宽肩细腰，英俊清秀，一表人材。他身着戎装，佩着马刀，挂中将领章，对人颇为有礼。进厅后双方席地而坐,寒暄一番,互相介绍,当介绍到哈密回民商团团总吴金贵时,马仲英说:“上次(指马仲英 1931 年进疆围攻哈密六月未果的事)你在北沙窝打的那么凶,今天你不怕我杀你的头吗?”吴金贵说:“司令是大人物,绝不会干失民心的事。”马仲英注视着这个机灵的汉子,当年战场上的对手,慢慢地笑了。这时在场为吴捏一把汗的人才放下了心。

说话间,突然刮起一股怪风,飞沙走石迷人眼目,并将餐单卷起,点心盘和茶碗尽皆掀翻在地,在场的人莫不吃惊,深感是不祥之兆。马也颇为扫兴,稍事寒暄后即匆匆离厅而去。

马的部队驻扎在绥定营(今龙王庙到三岔路口一带),马本人住在尧乐巴斯公馆楼上。当夜狂风大作把窗扇上新糊的粉莲纸全部打烂。

哈密地方按马指令组织了鞋厂、缝纫厂、修械厂,为马部每人赶制单军衣(白大布)一套,单鞋一双,并修理枪械。由于哈密人少地穷,养活这三千人很困难,生活供给很差。士兵晚上用河州调子唱小曲咒骂马仲英。

马仲英就这样以哈密为基地,开始了他纵横天山南北一年多,最后以逃亡苏联而告终的生涯。

梧桐窝子惨案

黄万贤

金树仁(1879—1941)登上新疆主席兼边防督办宝座后,大批重用河州同乡。社会上曾流行一句顺口溜:"早上学会河州话, 当晚就把洋刀挎。"于是,一批残酷凶恶之徒,纷纷混进军政各界,胡作非为,祸害一方。其中,金的得力杀手杨正中有混世魔王的绰号,确也名符其实。

1933 年初, 金树仁派杨正中追剿马仲英手下的冶春华指挥,老百姓听说省军要杀回回,纷纷外逃。时乾德县(今米泉)上八渠的四五百群众,逃到北沙窝边的梧桐窝子,由于饥寒交迫,无力再逃,遂推举一名乡老,打出一面白旗,意欲投降省军。

杨正中来到梧桐窝子一看,尽是些老百姓,马仲英的部队早已逃之夭夭。

杨正中问:"你们是老百姓吗?"

"是呀,大人!我们全是村里老百姓,来向官军投降。"

"投降就好。前面跑的是什么人?"

难民中有人答道:"回大人的话, 前面跑的是西河贼娃子(甘肃河州俗称西河),西河娃子造的反,我们是良民,是老回回。"

“西河贼娃子给跑掉了，你们是良民，好啊！快给我集合起来。”

杨正中的省军奉命把前后七个庄子的老百姓都赶到一块，用一捆捆干苇子围起来。难民们蒙在鼓里，不知那些省军官兵想干什么。

待苇子把难民团团围严后，杨正中一声令下，四面站哨的士兵各处点上一把火。干苇捆立即燃起熊熊大火，任凭老百姓大声呼喊求饶，杨正中面不改色，部队也一个未撤，这些无辜的老百姓被活活葬入火海。幸有附近躲在暗处观看的老乡，才把真相揭露于后世。

究其底细，原来杨正中就是西河人，和金树仁有同乡之谊。难民们不知好歹，把西河人说成贼娃子，杨正中焉能不记仇。

皮山塔吉克人领到中国公民证

李吟屏

皮山县南克里阳山中，有七百多口塔吉克族散居于康阿孜、阿克肖、布琼等河谷，迄今已三百多年。

这批塔吉克族人，系瓦罕塔吉克。据当地可靠的说法，18 世纪中叶，阿富汗东北境的瓦罕地方发生战乱，当地群众流离失所，相率外逃。他们进入中国帕米尔境，与当地色勒库尔土著塔吉克汇合定居。其中一些人,又继续南徙,沿途散居于泽普、莎车、叶城等地。最后,有二十户(一说七户)一直迁徙到今皮山县康阿孜河谷才定居下来。这就是现今皮山县塔吉克人的先祖。

到了20世纪40年代,皮山县的塔吉克人已发展到五百八十多人,归皮山县五区克里阳庄管辖。本来康阿孜的塔吉克人自清朝起就已经成了我国公民,但不知何故,新疆当局却发给他们居留执照,视为侨民。据档案记载,民国三十二年(1943)3月,和田行政公署和皮山县政府官员赴克里阳宣讲国籍法,塔吉克族人听懂了国籍法精神后,一致表示:"考查我们先人在中国已有四百年之久,到现在,我们的生命财产者(都)在于此。我们丧失了中国国籍及一切权利,如何对得起我们的祖先?"

于是,在这年(1943)五百八十四名塔吉克人全部换领了中国公民证。

"逆眷"大院亲历记

师　和

1940年春初,我们全家以所谓"叛逆眷属"的身份被逐出迪化,押解到伊犁惠远,集中在旧副都统衙门院内。

旧副都统衙门是座三进大院,房屋虽多,但

已呈现一派衰落景象，后花园的花草树木早已凋零，显得阴森凄凉。一批又一批押解来的“逆眷”，塞满了这座大院的大部房屋。其中有白发苍苍的老人，有尚在襁褓中的婴儿，有年轻的媳妇和姑娘，还有一批尚未成年的少年儿童，也有我们这批从学校里清洗或受株连的学生。我和哥哥师克，30 年代留学苏联回来的冯兆昆以及京剧小票友王嘉祥等也都成了大院之囚。

当时，新设立的新民设治局因尚未勘定县治地界，暂在旧副都统衙门大院内筹备办公。所有“逆眷”，也就交由设治局筹备处管理监督。进院不久，当局集合全体“逆眷”开会，由新民设治局局长安云阁讲话，大意是：督办(指盛世才)把你们集中起来，要在特克斯草原上成立新民设治局，仿照苏联的办法，办一个集体农庄，你们将长期在那里安家落户，从事劳动生产。督办规定：你们不能与外界联系来往，也不准与外界通婚。接着，安云阁还简要地描述了集体农庄的美好前景。语气比较平和，带有一丝安慰同情之意。大家听后深深感觉到，这哪是什么集体农庄，明明是劳动集中营。我想：只要不受歧视，何惧与世隔绝。

大院门卫森严，“逆眷”不准自由外出。后因“逆眷”需用日用副食品，经当局同意，发给出门证，轮流外出采购所需，限定时间返回。惠远人见到我们这批人，极少搭讪，往往侧目怒视，此乃盛世才制造舆论所致。

设治局也有警察机构，这是盛世才警察专政的必然结果。听说有个别“逆眷”子弟，负有一定的密探任务。人们在压制歧视之下，莫不小心翼翼地过活，把仇恨埋在心里。

在这支庞大的“逆眷”队伍里，有数百名学龄儿童，他们被剥夺了求学的权利。在家长们一再要求并得到安云阁的全力支持下，成立了新民设治局小学。安局长任命冯兆昆为校长，我也被聘为教员，全校共有十多名男女青年担任教职。大院内终于回荡起了朗朗读书声。

两年后，约在1942年春夏之交，迪化当局下了命令，允许亲友将集中关押的“逆眷”保释，自行谋生。虽说离开了这座血泪大院，但盛世才的警察从未放过对这些人的控制监视。

翁文灏与新疆石油

王建芳

1942年初，盛世才投向国民党不久，国民政府拟将新疆省与苏联合办的独山子油矿改为中国政府与苏联合办。7月，经济部部长翁文灏曾到独山子考察，确认独山子油田地质、原油品质与玉门油矿相似。同时，翁以对苏方油井设备进行估价为名，派黄汲清、郭克铨率地质、工程两个考察队深入独山子矿区调查论证。10月，翁在重庆参加了中苏双方谈判，在谈判过程中，由于苏方条件苛刻，谈判陷入僵局。翁文灏为保证油井免遭破坏，指示新疆外交特派员以新疆省政府一方名义奔赴油矿查看监督。并通过外交途径，通知苏方以书面说明封固油井手续及启封步骤。1943 年 5 月，谈判破裂，苏方开始拆卸油井设备，并将无法运走的财产以一百七十万美元价格卖给行政院资源委员会。随后成立乌苏油矿筹备处，由国民政府独资开采，重新组织生产。

翁文灏对新疆石油资源原有估价，早在 1919 年 10 月，他在《地质专报》乙种第一号刊物上，首次对中国石油资源的分布做了宏观的估价。翁氏在《非金属矿产》一章中指出：大抵自新疆北部，沿南山北麓，而至玉门、敦煌，复至甘肃东部，延入陕西北部，越秦岭山脉，至四川盆地，适绕西藏高原之半，惟陕西、甘肃、新疆尚有希望。实践证明，这一估计大体是正确的。翁氏还根据新疆省殖边银行行长刘文龙提供的数据，对乌苏的独山子、绥来(今玛纳斯)的金沟河、石油岩、铜鼓台、博罗通古，迪化的四岔沟，塔城的青古峡(黑油山，即克拉玛依)的石油产状作过统计记述。如独山子“查有油泉三十二座，泉内有油喷发者十五座……油质轻，其色有深绿者、有淡红者”；“黑油山现存者仅有九泉，以山顶一泉为最大……合计旺时日可取油二百余斤，质浓色黑”。并通过照片观察对部分石油产地的地

质构造和地层、地貌做了一些推断，如绥来金沟河“油泉适在背斜层之下”，石油岩油层为“砂岩及页岩互层”，黑油山“地甚平坦”。

对新疆石油资源的论证，翁氏之功不可没。

歪答正着活一命

蔺茂奎

沙湾县乌兰乌苏乡有一姓顾塾师，中年丧妻，守一独子，抚育成人。其子从迪化学堂毕业，被分派阿山某县任职。民国三十年(1941)春，其子奉令进省开会，从此杳无音信。当时民谚：“不怕半夜鬼叫门，就怕督办开会请。”凡被盛世才传令进省开会者，几乎无一生还。顾先生自忖凶多吉少，终日以泪洗面，痛不欲生。

翌年秋，其子蓬头垢面悄然而归。顾先生又惊又喜，四邻闻讯皆来庆幸，都说是顾先生前世积德，始有善果。

众邻散去，父子抱头唏嘘之余，父问子个中缘故。其子才说，奉命进省者，全被卷进从天而降的“阴谋暴动案”。军法审讯者厉声喝问：“你为何反对盛督办，反对‘六大政策’？”被审者莫名其妙，人人矢口否认，结果反遭重刑。

顾某见同牢人犯，或被酷刑致残，或被秘密

杀害，胆战心惊，昼夜难眠，反复思量，蓦生一念：与其实说不反对受死，不如胡说反对又看咋样。烧酒黄酒一个醉(罪)，大不了一死了之。

二次提审时，审讯者又问："为何反对'六大政策'？"顾某即答："我就是反对'六大政策'，'六大政策'不合新疆实际，全是胡编乱造。"审讯者愕然，停止刑讯。从此对顾某再不审问，不久改为工犯优待，今免罪获释，终不知其中奥秘。

顾先生听罢，感慨万端，即辞馆偕子东归关内，躬耕桑梓。

其实，顾生遭遇，奇而不怪。盘踞新疆的军阀盛世才为人阴毒，投机于国内外政治军事形势，抛弃亲苏联共的假面具，暴露反共反苏的真相，一而再制造所谓"阴谋暴动案"，迫害民主进步力量，滥杀无辜，罗织罪名，探测民心。顾生恰逢其时，身陷囹圄，铤而走险，不意歪曲答辩，正着盛氏心怀，侥幸留一活命。

盛世才的下台

马云文

1944年8月，国民政府发表盛世才为行政院农林部长。9月，盛世才离新飞渝履新。临行前，装有大批金条银圆和奇珍异宝的三十余辆汽车由盛的卫队押运出境。据档案记载,新疆国库储备黄金五万两亦席卷一空。

1945 年 7 月,国民党召开国民参政会。新疆原定两名参政员:一是刘文龙,汉族,曾任新疆省主席,曾被盛世才软禁多年;一是维吾尔族的哈的尔艾凡迪,寄居兰州。随后又决定增加一名。经省府决定补选新疆维吾尔文化促进总会理事长、新疆省政府警务处副处长乌迈尔大毛拉为参政员。我作为出席参政会新疆代表团的成员陪同参政员赴渝。抵达重庆后被安置在两路口行政院蒙藏委员会公寓。会议前夕,新疆省参政员拟就一份《请求政府严惩屠杀新疆大批无辜各族人民的刽子手盛世才》的提案,并分送社会贤达及知名人士,请求支持。当时就获得黄炎培等一批民主人士的签名,并列为提案人之一。开幕后,大会秘书长雷震来到乌迈尔大毛拉住所,要求乌迈尔在大会上作专题发言。新疆参政员对大会的安排表示满意。几天后,乌迈尔大毛拉登上讲台,以无可争辩的事实,控诉盛世才的血腥暴行。当乌迈尔大毛拉发言结束时,全场起立表示支持新疆省参政员及各界人士的联名提案。

8 月初,国民参政会闭幕后几天,国民党《中央日报》发表改组行政院的消息。除免去盛世才农林部长外,其余部长全部留任。

吴忠信日记中的燃弹

段 续

1945年1月23日,新疆省政府主席吴忠信在他的《主新日记》中写道:

美国驻迪化领事华瑞德求见,谈及战局时说,美军一俟规复马尼拉,即将登陆中国海岸。在征询余的看法时,我答道:登陆中国较适宜的地点:一、台湾附近中国海岸,足制敌死命,但敌有重兵严防,作战颇为艰辛;二、广州湾(香港)或海南岛登陆,日军在海南兵力不强,登陆较易,且足以动摇越缅,影响马来。

华瑞德又告知,美国近年发明了三种新武器:一是比超级空中堡垒还要巨大的飞机,功率加大一倍半,机上瞄准及轰炸全用机器操纵,续航能力可往返纽约与旧金山之间,能运送大部队;二是飞弹,与纳粹德国侵扰伦敦的飞弹有同等效力;三是燃弹。此弹射中目标,来不及扑救,人屋即化为灰烬,且热度极高,若用水灌救,更助长燃势。

上述燃弹,是否指原子弹而言,不得而知。1945年8月6日,美国在日本广岛投下了第一颗原子弹。吴忠信所记,比投弹时间早一百九十六天。

张治中迪化焚鸦片

金国珍

张治中于1946年接替吴忠信出任新疆省主席后，致力于民族团结和社会进步。他在施政纲领中明确提出除三害：禁烟、禁赌、禁娼。首先重新组建了肃清烟毒委员会，严禁吸食鸦片，烟民限期戒断；严禁种植、贩卖。为了大造声势，特选择国民政府确定的6月3日“禁烟节”烧焚库存鸦片。事先在广场挖了焚烟大坑，深两米多，圆周五六米。“六·三”上午，由全副武装的军警宪及高院法警押解鸦片烟土、麻烟等毒品进入广场，由各机关、社团派员监督启封清点，随后将石灰、食盐、石油混同烟土、麻烟抛入深坑。共烧焚收缴的鸦片烟土二十六万零二两，烟底一千九百三十二两；麻烟二十六万五千二百五十七两；高等法院没收的烟土一百五十八两，烟灰二十四两；省保安司令部及原督署库存鸦片十八两(旧制，一市斤折合十六两)。烟土石灰入坑后，稍久即雾气腾腾，一股石灰夹杂鸦片烟味冲入鼻腔。焚烟当天，迪化市万人空巷，携老扶幼，前来观看。广场周围人山人海，万头攒动，人数超过万人以上，直至夜幕降临，烟土焚尽，人才离去。据史料记载，上海于民国八年(1919)曾销毁大烟土一千零十三箱，计重一万九千二百七十斤十二两(约三十馀万两)。张治中焚烧鸦片二十六万余两，是继上海之后又一次重大的焚毒行动。

“这钱物归原主吧！”

哈力克·沙克

1947 年 5 月 9 日，时逢盛夏，美丽的喀什百花盛开，景色宜人。以张治中主席、阿合买提江·哈斯木副主席为首的新疆省政府视察团，为视察南疆地区民主选举的结果，慰问广大的各族群众，特专程从迪化飞抵喀什，各族各界群众满怀期望，以隆重的仪式热烈欢迎视察团的来临。

视察团完成了历史任务即将离开喀什时，喀什专员、知名的民主人士阿不都克热木汗·买合苏木以张治中、阿合买提江·哈斯木的名义，在他的塔吾郭孜果园里，盛宴招待了喀什专区各级政府领导、驻军司令，以及喀什市各族各界的代表。

盛宴的第二天，张治中主席和阿合买提江·哈斯木副主席特派喀什副专员柴恒森和财务科长周鸿德给阿不都克热木汗·买合苏木送去五十万元新疆币，以支付这次盛宴的费用。阿不都克热木汗·买合苏木以幽默的笑声开玩笑说：

“请转告张治中主席、阿合买合提江·哈斯木副主席，喀什人民是好客的，他们随时都可款待自己的朋友，这是我的家，不是饭馆，这钱物归原主吧！”

曹斗宣联语壮天山

王广荣

曹斗宣，湖北人。清光绪初随军西征入新疆，平阿古柏，旋留新任教谕。

曹有文才，所撰联语，边疆气息甚浓，饶有新意。如题官邸春联云：

马放牛归，是为乐土；
莺啼燕语，如在故乡。

语无浮词，且洗尽庸常，与“春风不度玉门关”成鲜明对照。

曹所撰挽联，感情真挚，语言豪壮，别具一格。兹录其二：

挽曾惠敏(惠敏,曾纪泽谥号)云:

走马曾到昆仑巅,看天山南北,地界争还,畴如伟略;

结庐亦居衡岳下,数文正子孙,哲人踵起,今哭通才。

又挽沈宝堂联云:

是襄勤旧部最骁果善战之伦,燕然纪绩,马革裹尸,西域东陲名不朽;

与畴武诸君皆出师未捷而死,风雨怀人,鼙鼓思将,私情公谊涕横挥。

巴里坤昭忠祠题联

张建国

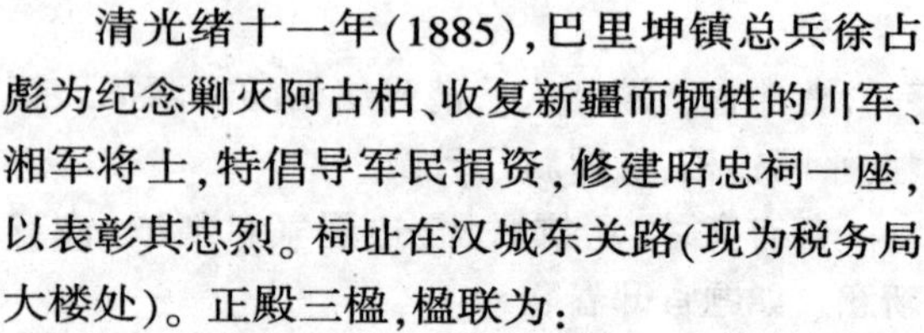

清光绪十一年(1885),巴里坤镇总兵徐占彪为纪念剿灭阿古柏、收复新疆而牺牲的川军、湘军将士,特倡导军民捐资,修建昭忠祠一座,以表彰其忠烈。祠址在汉城东关路(现为税务局大楼处)。正殿三楹,楹联为:

为疆域奋斗,为黎民牺牲,一掬丹心成壮烈;

或马革裹尸,或龙堆埋骨,频挥热泪吊忠魂。

刘鹗在迪化赋诗题联

邓 波

刘鹗(1857—1909),字铁云,笔名洪都百炼生,江苏丹徒县人。少年时勤读诸子百家之书,对医学、数学、水利工程,以至古器皿、甲骨文均有兴趣,且有独到见解。后随张曜治黄河水患有功,官至候补知府,不久又弃政从商。1900年,八国联军侵入北京,横行京津,市民断粮,刘鹗向洋人交涉,买回太仓粮,贱粜于市民,清廷以“私售仓粟”罪充军新疆。

刘鹗到迪化后,因非达官显要,得不到照顾,只好寄居于城隍庙。当时庙内住着一位号称“刘长腿”的道士,此人精熟岐黄,刘鹗也通晓医学,彼此切磋,成为挚友。刘鹗曾为之赋诗云:

道人居市不居山,治病救人岂等闲。

凭得阳春两只脚,一生九度玉门关。

后刘道士投奔五台山,刘鹗成为庙内惟一名医,誉满全城。他一直住在城隍庙戏台下第三间小房内,房门自书海瑞所撰对联:

人心莫高,自有生成造化;

事由前定,何须巧用机关。

后来人们渐知这位“罪犯大夫”不仅医道高明,且是一位“潦倒文人”,因而有人要求题联。

他给李文谨理发店所题一联云：

流水小桥催钓影；

春风深巷卖花声。

这是这家理发店所处地段的真实写照，一时争相传诵。以后每逢年节，他常应邀给商号店铺等撰写对联，往往见景生情，具体入微。如给油条豆浆铺写的对联是：

白面生入油锅，浑身金甲；

胖小子进磨口，柏水窦章。

“柏水窦章”是《百家姓》中的一个句子，作者取其谐音，来巧妙地形容磨豆腐的情景。他还给染布业写了对联：

财源黑手莫黑心；

生意白来没白去。

又给烤肉店写了对联，联云：

一扦串起若干块；

红火烧来百味香。

所写甚多，因历时已久，大多回忆不起。刘鹗死后由迪化商界厝于水磨沟。遗作《老残游记》所写虽非乌鲁木齐的人和事，但作者曾一度为迪化市民，新疆人读这部小说，不禁倍生亲切之感。

哈密龙王庙长联

王文邕

光绪初年，哈密办事大臣明春在城北苏巴什(维吾尔语,意为水源)地方修建龙王庙一座。庙前有一弧形人工湖,俗称海子。湖边西岸筑有戏台,每年农历四月初八为庙会日,士农工商,男女老幼,或骑马,或乘车,联袂而来。台上日献数剧,台下观者如堵。戏台左右原有一副一百二十字的长联,无非是一些应景话。以后,在戏台侧面粉墙上又出现了一副更长的长联，全文二百三十六字，比有名的昆明滇池大观楼长联还多五十六字，更奇特的是此联从立意到形式乃至个别词语和大观楼联如出一辙。试以姊妹联称之,不知当否?

由于作者佚名,生平无法考证。而龙王庙戏台也早已毁于战乱,原文无从核对。笔者只能据传抄件抄录,错讹在所难免。愿这两副长联,南北长存,交相辉映。长联云:

万余里边风奔来眼底,当披襟岸帻,直从高处凭栏,看北辙南辕,忍令蹉跎岁月。纵天山雪寒透重衾,瀚海沙迷连大漠,长城窟防秋饮马,阳关柳赠别行人,碌碌忙忙,感慨系之矣!壮怀难自己,抚旌旗壁垒,犹

烈阵图；幸民物疮痍，尽成都聚。收拾起荷衣藜杖，莫辜负林泉画稿，金石吟笺，旅邸胡琴，野云游屐。

二千年古迹注到心头，坐贝阙珠宫，好约良朋酌酒，听晨钟暮鼓，敲变几许沧桑。想班定远投笔从戎，张博望乘槎泛斗，赵营平屯田上策，薛总管三箭奇功，轰轰烈烈，而今安在哉？长啸划然来，趁芦苇萧疏，昂藏骋步；任鸢鱼飞跃，俯仰忘机。把那些傀儡葛藤，都付与五夜霜钟，数声樵唱，半湾流水，一派荒烟。

星星峡关帝庙题壁

倪光庆

由河西走廊进新疆，星星峡是必经之要隘。出关的文人墨客，总愿在此停住一时，以寄托出关怀乡之情。峡西有关帝庙，庙壁题吟杂陈，密密麻麻，可谓洋洋大观，惜可读者寥寥。其中有一首系清末新疆最后一任巡抚袁大化于宣统二年(1910)出关时所咏。诗曰：

天开隘口几千秋，坐镇雄关有汉侯。

破晓初升东海日，一弯残月照山头。

民国七年(1918)，日本军国主义与段祺瑞政府签订《中日军事协定》，并将其魔爪伸进新疆，日本翻译官大潦太吉、大田东阳等窜到星星峡窥探军情，绘制地图，他们到了关帝庙竟也诗兴大发，在墙上写道：

古峡巉岩石径回，武皇当日重边才。
热心我已先投笔，巨眼人谁效筑台。
古垒塞云虚缥缈，空山夜月独徘徊。
秦关汉塞空留迹，何若欧风先网赅。

当时日本正在步步为营，意欲侵吞中国，因而中国人民对日本在中国的一举一动非常敏感。日本人深入中国边防要隘，并在那里题诗，引起中国人民的极大愤慨，纷纷加以谴责。现在时逾七十多年，往事已成云烟。这里姑记一笔，借供分辨善恶，以警未来。

禁伐左公柳榜文

王子钝

余少年时由天津赴新疆，道经甘肃泾川以西至玉门关外，古柳夹道，连亘三千余里。当地土人云：此柳为清季左宗棠镇陇时所植。杨石泉(昌浚)上左诗云：

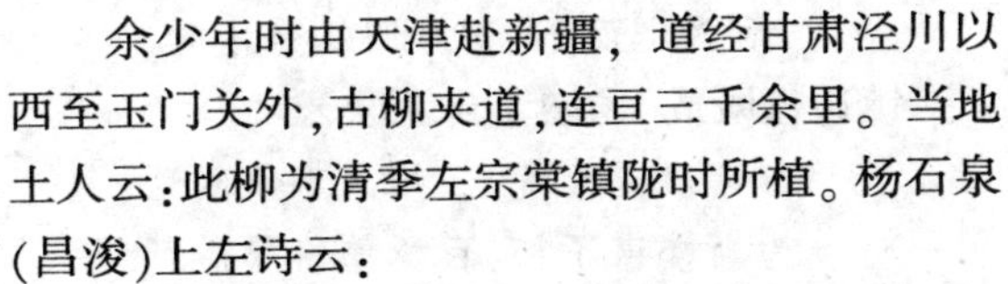

上将筹边未肯还，湖湘子弟遍天山。
新栽杨柳三千里，引得春风度玉关。

左氏览诗大加赞赏。但左公柳土人不知爱护，任意盗伐。时守土之官于沿途墩房立榜禁止。文曰：

昆仑之阴，积雪皑皑。杯酒阳关，马嘶人泣。谁引春风，千里一碧。勿剪勿伐，左侯所植。

余爱其文简雅，故录之，以供欣赏。

杨增新与镇边楼

王子钝

杨增新(1863—1928)所建镇边楼，在督署东花园之东北隅，原是早年定远亭之旧址，定远亭原有两联：

第一联云：

三去三来，到今朝始登绝顶；
一忧一乐，抚斯民敢负初心。

第二联云：

知小人之劳，绿野依然田舍日；
后天下而乐，青灯回忆秀才时。

镇边楼既成，杨增新自题联云：

与诸君望大荒，三州故事供闲话；
为斯楼谋不朽，百稔重修属后贤。

为镇边楼题写匾额，当时新疆书法界不乏名流，但杨氏全不中意，特派人赴上海请书画名家李梅庵(字阿梅，号清道人)书写。李梅庵鬻字润格，每个大字一百元，遂以三百元付酬。匾额在上海用黄铜做好,运回后挂于楼内;楼外则用木板刻制。书体为魏碑,苍润大方。

杨与李,为光绪十五年(1889)己丑科同榜进士,彼此有同年之谊。杨写信邀约李梅庵来新工作,并汇去旅程费两千元,但李并未应聘进疆,亦不知如何作答。此事乃杨氏之侄杨应良所谈,今追记之。

《吟兰轩诗草》管窥

胡正华

《吟兰轩诗草》是杨增新淑配夫人冯畹(我素)的诗集。冯夫人平生积稿甚多,自随杨将军至新疆散失不少。恐日久更有佚散,即于民国七年(1918)委托当时沙雅县知事李晋年选优付印。李晋年选得七十一首,其中有古诗,有律诗,还有一些词赋。数量虽不多,但可以概括作者的思想感情及风格,真可谓"威凤一毛,五采悉备"。诗集既成,以木板印刷,十六开本,由新疆官宝局刻印,与《新疆图志》同时问世。诗集前面有李晋年的《短序》一篇。

诗集中占篇幅较多的是"春日杂咏寄夫子"之作,共有二十六首。诗中情意缠绵悱恻,如:

非关别久只情深,费尽思君相体心。
长自起更先假寐,怕君魂梦苦搜寻。

诗作没有题明写作时间，但显系作者与杨增新有过短时间的离别，诗中反映了夫妻分居两地梦魂相系之苦。

诗集中的词虽不多，但也寓意诚挚，颇多可取，如《怀大兄·调寄卜算子》一阕，婉转地表达了她对大兄的怀念。其词云：

庭草含秋烟，嫩绿凝深院，望断平芜尽处山，不见西来燕；留意护芳樽，伫子开吟卷，正是秋光始到时，勿待秋光变。

平时只知杨将军威镇边塞，叱咤风云；却不知其内助笔墨深沉，竟是一位诗人。惊喜之余，特作简介，并摘录其诗词各一如上，以供欣赏。

于右任词咏天山

范承渠

民国三十五年(1946)8月间，改组后的新疆省政府成立，监察院长于右任代表国民政府为监誓人到乌鲁木齐参加宣誓就职典礼。其后遍历天山南北。此老个性豪爽，喜饮善书，多有诗词佳作，时人争相传诵。兹抄录数首：

《浣溪沙·哈密西行机中作》

我与天山共白头，白头相映亦风流，羡他雪水灌田畴。　风雨忧愁成往事，山川憔悴几经秋，暮云收尽见芳洲。

《人月圆·迪化至阿克苏机中》

人生难得新机会，天上看天山，人间天上，人间天上，天上人间。　卢生(前)作曲，韩生(乐然)作画，我捋银髯。昆仑在左，白龙堆上，孔雀河前。

《江城子·阿克苏至喀什机中》

先生得意出阳关，在空间，且流连。乌鲁木齐河山月儿弯。又乘长风前进也，真不管，鬓毛斑。　多情好事亦姻缘。说高寒，有婵娟。争向机中一孔看天山。闻道飞行戈壁上，沙漠漠，路漫漫。

《浣溪沙·在塔里木戈壁忆阿克苏、温宿之游》

何代何王剩地牢，龟兹霸业已萧条，西风吹雨过平桥。　高柳荫中驰骏马，巴衣园里选蒲桃，别开舞派女儿腰。

于公曾游庙儿沟，张治中、包尔汉、阿合买提江、麦斯武德等陪同，并在那里举行民族形式的野餐。此地有三百亩杏林，五百年老榆，千年佛窟。髯公玩得高兴，以《庙儿沟野餐》为题赋诗一首：

树如宝塔无边翠，雪作河源不断流。
四海一家歌且舞，夕阳红映庙儿沟。

跟随于来新的卢前，也是一位诗人，当即同题和词一首：

禽声断续风声，水声摇荡松声，树外车声日影，笑声相竞，娱人又是歌声。　树

荫浅酌葡萄，主人来献羊羔，马奶一杯醉倒，倒头一觉，夕阳犹在林梢。

于听毕，抚掌大笑，连呼："叠用七个声字绘形绘色，妙极，妙极！"

新的省政府成立，短时间内初见升平景象，髯公对此行颇为满意，这在其返程中的词作中颇多流露：

《浪淘沙·哈密东归皋兰，因乌鞘岭大雨，机转甘州》

相对亦悠然，始识天山，天教回首看祁连。同是洛妃乘雾至，冰雪争妍。　乌岭雨沉绵，云起无端，龙吟霜匣剑飞还。转到甘州开口笑，不是皋兰。

《浣溪沙·兰州东行机中作》

不上昆仑独惘然，人生乐事古难全，匆匆今又过祁连。　自古英雄矜出塞，如今种族是同天，行人收泪听阳关。

《南乡子·同上》

上下白云飞，秦陇川原是也非，万里平安天与我，依依，迎我而来送我归。　君莫问西陲，兄弟之间隙已微，塞上风云成过去，区区，写就光荣纪念碑。

董必武题诗紫云砚

钟兴麒

阿勒泰地区文化局王震亚珍藏的一方紫云砚台上,刻有董必武亲笔题诗一首。查阅《董必武诗集》未见收录,为拾遗补缺,特录于后。诗曰:

色如端石微深紫,纹似金星细入肌。
配在文房成四宝,磨而不磷性相宜。

落款署董必武三字。题诗笔锋遒劲而圆熟,走笔轻盈自如。这方砚台与端砚同为紫云石。据考证,此系三四亿年前泥盆纪地质时期高温高压形成的一种变质岩。既含有硬硅,又兼有软泥,刚中带柔,易于发墨;并含有绢云母,坚密细腻,不损毫锋。“磨而不磷”语出《论语·阳货》篇,董必武老人赞赏砚石质地坚韧,久磨不薄,启迪人们应有坚韧性格,寓意深刻。

柏雪木的《素花之歌》

杜殿卿

赫叶尔·柏林(1896—1951),号雪木,笔名辽鹤、愚如。锡伯族近代著名诗人。流传于世的诗作有:《汗腾格里颂》、《素花之歌》、《送瘟神》等。早期作品有《老妇泪》、《铜刀行》等。

《素花之歌》和《汗腾格里颂》是相媲美的姊妹篇。《素花之歌》的素材是锡伯族西迁百年后遭到沙俄侵略的一桩历史掌故,热情歌颂保卫祖国英勇捐躯的锡伯族巾帼英雄——素花。诗中写道:“寻衅俄兵压境来,敌军魁首卡巴克。边陲江山突变色,可悲苍生陷水火……”“息姬不语香妃怨,吴宫儿女怀志坚。我乡有女名素花,燃眉之际敢拯民……”

《汗腾格里颂》是诗人居住特克斯时写成的诗作。他远眺皑皑雪峰,纵观奔腾东泻的特克斯河水,大胆驰骋于艺术想象的无垠空间,用拟人的手法与汗峰对话:“景仰崇高峰,问君何年生?江山本不老,何以鬓发霜?汗峰闻吾语,回答久唏嘘。史前不足道,三千转一瞬。沧桑阅历多,焉能不早老……”诗人借汗腾口吻,纵谈沧桑变迁。诗中大量引用远古传说、史话寓言。从亚历山大、马其顿的东征到罗马王遣使中国,大月氏

被逐，玉门被封，细君、解忧西嫁，玄奘取经，武则天、成吉思汗、长春真人、巴伦噶尔结盟、阿克苏公主等六十余起历史事件、重要人物，融贯于诗篇之中，诚可谓鸿篇巨制。

《老妇泪》是诗人执教锡伯中学时所作，他以夸张手法，借老母之口赞扬锡伯民族。诗中写道："儿呀……汝名锡伯，慕容后裔，卫戍祖国土地，出过汗马之劳的东方斯巴达……""儿呀，你回来呀！回到祖国的中央，中央是乐土，家乡。"在写法上，继承了《楚辞·招魂》的风格，从字里行间显现出诗人强烈的爱祖国、爱民族的热忱。

刘锦棠指蛇为鳝

蔺茂奎

清光绪三年(1877)八月,西宁道、湘军总统领刘锦棠率湘军二十四营追剿浩罕国入侵者阿古柏匪帮,连克达板城、吐鲁番、托克逊,大军直指喀喇沙尔(焉耆)。军行不远,只见前方漫流泛滥,阔达百余里,深处没顶,浅处也及马背。原来投靠阿古柏的白彦虎残部,自知无力抵御清军,即抢先劫掠百姓粮食,决开都河水以阻清军。

清军面临泽国,人困马乏,军粮断绝,将士饥肠辘辘,几成饿殍。刘锦棠焦忧万分,彻夜难眠,遂带几个亲兵巡至河边,察看水势,见水泊之中，浮游着许多四五尺长的黑色水蛇。刘锦棠见状，灵机一动，即令亲兵动手捉来几条，斩头剖腹，盐水煮食，其味甚鲜。随即传令三军："此为西域黑鳝，与湘乡黄鳝同类，乃天赐军粮，可迅捕捉。"军士闻之，一扫愁云。三湘子弟大多熟习水性，踊跃逮蛇，烹食果腹。由是气力恢复，兼程进军，在当地百姓的引导下，渡泽国，绕洪流，于库尔勒又掘得窖粮数十万斤。三军开颜，兵强马壮，趁势猛追阿古柏匪徒，一鼓作气，七天之内，连克库车、拜城、阿克苏、乌什，南疆东四城全部光复。

图伯特修渠

锡伯族·郭基南

锡伯族由东北西迁伊犁地区后第三十七年，即清嘉庆七年(1802)，由于生齿日繁，水源不足，重重困难已摆在锡伯族全体军民面前。当时肩负屯垦戍边重任的伊犁将军松筠体察民情，高瞻远瞩，从民族生存和边境安全的大局出发，决心兴修水利，以维民生，而利国防。任锡伯营总管的图伯特贯彻松筠的意图，栉风沐雨，实地踏勘，呕心沥血，绘制蓝图，草拟出由伊犁河上游引水，开凿一条横贯察布查尔平原，能灌溉十余万亩耕地的大渠施工计划。这一计划，竟遭到他的同僚、副总管索尔岱等人的反对。这部分人目光短浅,胸无远虑,把锡伯族西迁时乾隆帝曾说过"六十年一换防"这句话作为反对兴修大渠的理由,认为到期换防,一走了之。图伯特力排异议,他阐明渠不修则粮不济,粮不济则民凋敝,民凋敝,则边防难安的观点。他认为与其六十年一换防,来回折腾,不如扎根伊犁,则有利于民族生存发展,更有利于边境安宁。经过伊犁将军松筠的允准,图伯特的计划终于在1802年秋开始实现。他采用一套人马戍边,一套人马修渠种植的措施,春秋两季,轮换一次。经过锡伯族军民六年的艰苦奋战,终于修成长达一百公里的察布查尔大渠,使乌孙山下的处女地,出现了阡陌纵横,村落棋布,良田拓展,佳禾婆娑的喜人景象。为褒奖图伯特的政绩,清廷于嘉庆十五年(1811)六月,调升塔尔巴哈台领队大臣。后人为纪念图伯特造福人民的伟绩,特在察布查尔大渠渠首建立图公祠,春秋二季利用疏浚渠道机会举行祭祀。在民间,还传诵不少赞扬图总管的诗篇。有一首诗写道:

图安班(意为大臣)啊!锡伯族的英雄,率领民众把大渠凿通,不种不栽决不回程啊!你像乌孙山上的万年松!

敬爱的图安班啊!你为骨肉同胞的幸福耕耘播种,排除种种艰难险阻,你好比为渠水开路的神龙!

自此以后,有胆有识的图伯特的英名,和历

经沧桑的察布查尔大渠连结在一起，万古留芳。

肯新·克亚克拜

哈萨克族·帕提汗·苏古尔巴也夫

阿尔泰（今阿勒泰）地区土地肥沃，水源充足，不但具有发展牧业的自然条件，也是发展农业的理想地带。清政府有鉴于此，于嘉庆二十五年(1820)至道光十年(1830)间，组织军民屯垦，以提高当地哈萨克牧民的生活水平。

在这次历时较久、规模较大的农垦活动中，肯新·克亚克拜在水利工程方面作出了重大的贡献。

肯新·克亚克拜(1788—1881)，哈萨克族，出生于克列部族杰鲁希部落。他只读过私塾，但他在地理、水文测量等方面，以超人的聪明才智而远近闻名。当时尚无测量仪器，他就趴在地上，凭借自己的视觉，判断地形结构。他用一根骆驼肠灌水代替水平仪，将它平放在渠道底部，以观察流水能否畅通。在施工中遇到岩石时，在没有炸药的情况下，把梭梭柴、松树枝和其他大能量的树木堆积起来，燃起大火，待岩石烧红，大量浇水，分解岩石。

他采用这些绝妙的土办法，在这段时间指导哈萨克群众在哈巴河、布尔津境内开挖了阿德勒托列、特列克、库勒拜等大渠。道光十年至二十年(1830—1840),他又在今阿勒泰市、富蕴县和青河县等地，组织指导哈萨克群众开挖了阿魏滩、布条鄂尔根、塔拉特、苏尔特和额尔齐斯河等大渠。这些渠道最长的达三十公里,最短的也有七八公里。

由于修建渠道,大兴水利,使克列、乃蛮、蔑尔克特人开始了开荒、种地,促进了地区的农业发展。

多凌立碑　禁杀马鹿

张建国

民国三年(1914)9月1日,中华民国大总统明令公布了《狩猎法》,饬各地切实保护野生动物,严禁使用炸药、毒药、剧药和陷阱捕杀各种野生兽畜。在新疆,最早贯彻《狩猎法》的要算巴里坤副将多凌。

巴里坤八景之一的“黑沟藏春”,环境幽雅,风景秀丽。沟内林木千嶂,密绿如黑,飞泉瀑布,别有洞天,正是野生动物理想的栖息之地,各种飞禽走兽生存其间,尤以马鹿为最多。附近军民常以狩猎为乐，任意捕杀马鹿。民国六年(1917),时任巴里坤副将的多凌,特在沟口立碑一通,禁止杀鹿。碑为一丈五见方的卧牛石,额

头横题刻有:“本协镇告示”。告示竖书共六行,每行四字,其文曰:

蒲海瑶岛,山高水长。西河松景,泉源保障。鹿乃仁兽,不可残伤。

多凌刻石立碑禁杀马鹿一事,从此在巴里坤民间流传至今。

冯特民拒贿

杨　尘

冯特民(1883—1912),湖北江夏人,早年参加同盟会,1908年随军来伊犁。1912年1月7日他与李辅黄等领导了伊犁起义,伊犁临时政府成立后冯特民任外交司总长。

清末,新疆财政皆赖关内各省的协饷,并不完全依赖本地维持。伊犁革命后,迪化方面当即断绝财政往来,革命党人不得不张罗借款,以救燃眉。俄国驻伊犁领事,以为有机可乘,实现其侵夺欲望。于是约冯特民到领事馆相谈,并请入密室,以事先拟好的一份协议书见示。协议书的主要内容是:俄国可以承认临时政府,并愿向伊犁临时政府出借卢布五百万,但伊犁必须出让森林、矿产开采权作抵偿。并说如果冯特民在协议书上签字,他可以得到一大笔酬金,还可以由沙皇奖授金牌一枚。冯特民对此嗤之以鼻,认为

这种出卖国家主权的勾当，连稍有爱国心之人不屑于为，何况革命政府，当即断然拒绝。后来杨增新竟以借款事借题发挥，捏造罪名，呈请袁世凯批准，将冯特民、李辅黄等杀害，暴尸街头，实属千古奇冤。

其实冯特民一生廉洁，两袖清风。平时经常接济革命同仁，反而使自己债台高筑，甚至打算返里探望八十高龄的双亲，因缺少川资亦无法启程。

冯特民和回回秀才

杨　尘

清宣统年间，由前伊犁将军长庚组建的伊犁新军，思想活跃，冯特民等革命志士常用“筹还国债”的名义，在伊犁各地举行公众集会，借以激发各族人民的爱国热情，暗中传播革命思想。

1909年，一次在宁远城东关的陕甘回族大寺集会。此地是宁远城有名的巴扎，贸易十分发达，多系回、汉居民，一时集聚了不少人。此会由新军协统杨缵绪主讲，也请民众发言，不少仁人志士和一些平民百姓也登台慷慨陈词，群情激奋，为伊犁前所未有。

不一会儿，只见一位黑红脸膛，头戴毡帽，

一身哈萨克装束的中年人,神态自若地走上台。不料此人出口却是一腔道地的伊犁话,并能在发言中熟练地引用越王勾践“卧薪尝胆”的典故,悲痛陈词,十分生动感人。

当时冯特民在场,深以为奇,何以一个哈萨克人竟有如此高的汉语水平?便邀其共坐,询之,才知是伊犁土著的回族人,姓韩,名玉书,时年三十五岁,是伊犁小有名气的回回秀才。其曾祖韩明贵、祖父韩吉庆、父韩澄,早年寓居伊犁。光绪年间,韩玉书沦落为小商贩,常与哈萨克族牧民进行畜产交易。其时韩正从山里交易归来,未及易装,便登台演说,故被人误认为哈萨克族。

冯特民这时正计划在伊犁创办报纸,启迪民智,宣传革命。因伊犁系少数民族地区,必须用少数民族文字出版,兹见韩玉书,以为是难得之才,十分尊重。经过交谈,意趣相投,遂结为挚友。

1910年,新疆第一家报纸《伊犁白话报》在惠远城创刊,二年之间,用汉、维吾尔、蒙古、满等文字出版发行。韩玉书担任维吾尔文版主笔,兼译汉文文稿。油印发行,颇有影响。

辛亥年(1911),伊犁革命党人举义,声震四海,韩玉书当时率领回队配合起义军战斗。起义成功后,被推为伊犁参事院评议员,伊犁临时政府民政司抚绥科科长,联络各族民众,特别是联络哈萨克台吉,组织哈萨克保安队巡防治安;并参加新伊和谈，功勋卓著。

多活佛易名

王野苹

森勤五世活佛，原名土布栋策楞车敏。民国六年(1917)1月26日，旧土尔扈特蒙古部布彦蒙库汗患风痰症逝世，杨增新赠赙礼五千两助丧，并指令多活佛接任蒙古骑兵团统带，土布栋专程到迪化申谢。席间，杨增新突然问起“土布栋”三字的来历。土布栋详细陈述在西藏学经期间，十三世达赖喇嘛土布栋喜饶嘉错赐名的经过。杨增新沉吟了一会问道：“‘土布栋’可能是‘吐蕃’的音转吧？这不像个武官的名字，改作多布栋如何？韩信将兵，多多益善嘛。”土布栋答道：“‘多布栋’蒙古语是力量的象征，帅座改得好！”杨增新听了，连呼：“妙，妙！”接着自鸣得意地笑了起来。

临别时，杨增新怕土布栋误解他改名的用意，意味深长地告诫说：“兵不在多而在精，精兵强将，以一当十，又可省经费。你要对骑兵团的士兵加紧训练才是。”

自此，土布栋改名多布栋策楞车敏，民间俗称多活佛。

杨飞霞与天池大钟

路 文

杨飞霞(1881—1961),云南蒙自人,民国初年曾任伊犁镇守使,1923年为避杨增新疑忌,辞职后闲居迪化,不久到天池蓄发修道,以“太虚”为法号,蜗居于小海子。时天池古庙年久失修,院墙坍塌,杨飞霞立志重修。不仅倾其私蓄,还呼吁迪化、阜康各界人士捐款。1924年春,他雇请工匠数十人动工重修福寿寺(铁瓦寺),在天池东西两岸分别修建了八卦亭和海峰亭。又在池南锅底坑南摩天石下修建了东岳庙。东岳庙包括玉皇阁、东岳祠和土地祠三殿,庙周围建有墙垣,设有棚门。天池庙宇统称海台庙,于1926年完工。又在东岳庙后高山顶端栽一木杆,道人晚间悬挂灯笼于杆,远在迪化亦可望及,此山遂称为灯杆山。杨增新曾发布告示,规定天池周围十里方圆不准放牧牲畜,严禁游人狩猎。

海台庙宇修毕,杨飞霞为记载募捐者,特铸造大钟一口,铸刻修庙时间、募捐发起者及捐款者姓名。钟高1.7米,上口直径1米,下口直径1.6米,内壁厚3厘米,重1吨许。钟首为兽头,钟耳有八卦图形,钟身铸刻满汉文,造型十分精美,被誉为天池一宝。

豆腐竟呼“刘小姐”

罗绍文

清末民初,湘人刘润通任和田知州,携二女在任,庭训甚严。长女自幼即习读经史,聪敏过人,人称刘小姐。刘润通夫妇不幸染病,相继死于任上。刘小姐原已许人,不意未婚夫英年夭折。姐妹二人,孤苦零丁。父在世时,廉洁正直,了无积蓄。次女幼弱,全仗其姐扶养。时和田全州,汉人不过千,虽都曾予刘小姐以资助,可刘一概婉谢,艰苦度日,且矢志不嫁,一心要扶养弱妹成人。刘父母在日,母尝自磨豆腐以节家用。刘小姐为维持生计,决心磨豆腐出售,以营蝇头之利。始则尽销于汉人,以后逐渐也为维吾尔族人民所喜食,购者日众。由于豆腐是当时和田前所未有的一种食品,维吾尔同胞又记不住“豆腐”这个新词,但都知道知州之女刘小姐,所以就叫豆腐为“刘小姐”。日子一久,当时和田无论是维吾尔人,还是汉人,悉将豆腐叫“刘小姐”。这个奇特的豆腐别名在和田地区延续了很长时间,本世纪三四十年代,把豆腐叫刘小姐的还大有人在。刘小姐开豆腐坊后,日有积蓄,弱妹亦渐成长及笄。30年代初,刘小姐携妹雇驴载父母骸骨归葬于迪化,并供其妹进迪化女子中

学上学。一时官场盛传刘小姐为一奇女子。30年代末和40年代初，新疆财政厅长胡寿康为刘之品德所感，且知刘小姐学问极好，将其录用于财政厅，时刘年已四十开外。梁寒操来新疆获知此事，盛赞刘小姐是与命运搏斗的女英雄，并赋诗以志：

豆腐竟呼刘小姐，和田人记女英雄。
宦游异域爹娘死，流落孤雏姐妹穷。
薄技易钱营葬养，懿名纪物示尊崇。
守贞垂老尤奇行，谁说今人失古风？

毛泽民视察独山子

王浔瑜

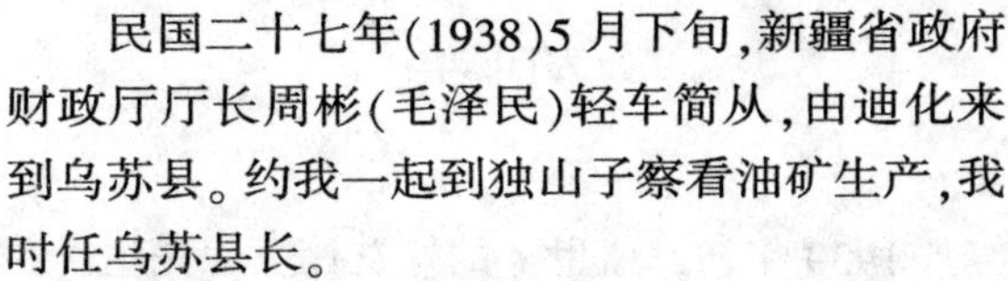

民国二十七年(1938)5月下旬，新疆省政府财政厅厅长周彬(毛泽民)轻车简从，由迪化来到乌苏县。约我一起到独山子察看油矿生产，我时任乌苏县长。

独山子位于奎屯河东岸，界于安集海河与奎屯河之间，南毗巴音沟，北与奎屯相连，距乌苏25公里。南边有小山一座，海拔仅800米。坡下土质松软，呈褐灰色，无水无草，一派荒凉。山麓有几处采油山洞，据说是杨增新时期，曾用土法打洞采油，并无收获。附近农牧民多在洞中撇些浮油点灯。时独山子立有井架四座，系1938

年所建，山顶高处的油井产量最高。但周彬到井上察看时，方知该井业已封闭。其原因是所产原油，无炼油加工设备又无人才，只得停机。周彬与矿上数十名工人聊天时，矿工们告知独山子饮水靠水车从乌苏县城拉运，煤来自迪化，条件极为艰苦。

周彬返回迪化后，经盛世才批准，派赵国元到独山子筹建炼油厂；并同意由财政拨款安装供水管道，从奎屯河抽水供应。还饬乌苏县在四棵树建矿采煤。不久，盛世才主持的新疆省政府与苏联议定口头协议，共同开采独山子油矿。随后由苏方供应的炼油设备陆续运到，并派来大批技师。

茅盾骑马阅兵

胡正华

1939 年初，盛世才的好友杜重远先生请茅盾先生来新疆，杜任新疆学院院长，茅盾任教育系主任，兼授文学、教育学、心理学等课程。此外并担任新疆文化协会会长。

茅盾是国内文学名家，早已蜚声文坛，当迪化各界欢庆“四·一二革命节”时也被邀参加。4 月 12 日是金树仁倒台，盛世才登上新疆督办高位的纪念日子，每年都要大张旗鼓，喧闹一番。

庆祝盛会的主要项目之一是所谓阅兵，即由盛世才领头，各机关首脑及知名人士紧尾于后，骑马从操场三面所列步、骑、炮、坦克等兵种前面驰过，即算结束。茅盾是南方人，并且常与笔墨打交道，素与刀马无来往。文静有余，豪迈不足。副官知其如此，特选来一匹文马（即老实温柔的马）为坐骑。即使如此，他还是踟蹰犹豫，不知所措。副官将他扶起搁于马上，他只好扯缰据鞍，含背猫腰，听天由命。这匹文马倒也懂事，紧随群伴之后，稳稳当当地缓缓而驰。随着一驰一颠，那条搭在马鞍上的红毯子，也时起时落，节奏有次，鲜艳夺目，给群众留下了富有幽默的趣感。

巧遇周恩来副主席

维吾尔族·伊不拉音·穆提义

1939年8月，我作为新疆省政府艺术团演出队的成员之一，在参加了巴里坤物资交流会之后，经大石头前往哈密。此行是为苏联红军第八团作慰问演出。过了七角井，我们在一碗泉地方休息。这时，有两辆从哈密方面开来的军用卡车，也停下来加水。

军车停稳后，从驾驶室里下来一位军官，身着戎装，神采奕奕，威武而又潇洒，一看便知是

一位国民党高级将领。他见到我们一群年青人正在嬉笑打闹,十分热闹,也就走到我们中间拉家常。他问我们是哪个单位的,干什么去。当得知我们是艺术团去哈密慰问苏联红军第八团时,他显得十分关注。从节目内容到慰问活动的安排等方面一一询问。他谈话有很强的感染力,态度和蔼可亲,毫无高级将领那种高高在上、盛气凌人的官架子。短促的相遇,他那平易近人、非凡的气度,给我们留下难忘的印象。

在哈密慰问活动结束后,我们返回迪化。没几天,艺术团的负责人给我们传达了一个惊人的消息。他说,那次在一碗泉相遇的那位军官,不是别人,他就是中共中央军委周恩来副主席。在西安事变中,他以机警、无畏的胆识,粉碎了亲日派妄图扼杀全国人民抗击日本侵略者的种种阴谋,实现了西安事变的和平解决,促进了抗日统一战线的形成。抗战军兴,周恩来副主席作为中共的代表,出任国民政府军事委员会政治部的副部长,中将军衔。这次他在赴苏治病途中,路过新疆,曾在新兵营驻地,向在迪化工作的中共党人和部分进步人士表示慰问。

时历五十年,至今记忆犹新。

孙科路过绥来

满族·博大正

抗日战争初期,沿海广大地区先后陷敌,我国与欧美各国的海上交通从此中断,处在大后方的新疆,当即成为欧亚之间的重要通道之一。1938年,中苏双方达成协议,开辟国际运输线,以支援我国全民抗战。为接运来华物资,我国政府成立中央运输委员会,简称中运会。新疆境内,西起霍尔果斯,东至猩猩峡(今星星峡)各县均设有分会,下设汽车站和招待所;哈密、迪化、乌苏和伊犁(今伊宁)还设有航空站,接送往来飞机及飞机配件。1940年初,我以副县长身份兼任中运会绥来县(今玛纳斯)分会会长。

1940年4月间,我接到省政府通知,告知孙科会同苏联驻华大使鲁冈涅茨·阿列里斯基前往霍尔果斯视察中运会的口岸工作,沿途还将检查各县分会的活动。接到通知次日中午,两辆小轿车和一部卡车驶进中运会绥来招待所。前一辆轿车系鲁冈涅茨大使夫妇乘坐,后一辆是孙科及其秘书座车,卡车上是几名护送人员。大使身材魁伟,衣冠楚楚。孙科四十开外,西装革履,披呢大氅,留偏分头,戴近视镜。乍看,酷肖中山先生,虽身材短小,却很壮实。

塞外初春，冰雪未消，春寒料峭，室外严寒逼人，我当即将孙科及大使引进室内。会议室内炉火正旺，宾客宽衣脱帽，吸烟品茗。寒暄片刻，孙科操一口广东普通话与我交谈。他就过境物资转运、苏方驾驶人员接待及伙食供应、车辆保养修理等问题一一垂询。我将过境车次统计及接待工作如实汇报。他又问及存在问题及其困难，我也列举一些突出难点告之。鲁冈涅茨大使亦细心听取翻译的即席口译。孙科时而用英语，时而用俄语与大使交谈，并从五十支听装茄力克铁筒中取出烟来自抽。

孙科及鲁冈涅茨大使仅在绥来停留一宿，还察看了招待所、汽车站、车辆保养室等设备和工作。第二天凌晨离绥去乌苏。

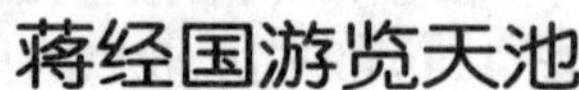

蒋经国游览天池

王绳保 述　杨国梁 整理

1945年，我在驻阜康的边卡大队充任军医。在缺医少药地区，来大队医务室求诊者络绎不绝。为方便城乡居民看病，经大队许可，在县城东关开设了一个西医诊所，由我主诊。5月下旬一天，我接到县警察局局长马宗寿通知，说是第二天有中央要员来天池游览，命我准备一些急救药和外伤包扎物品随同进山。第二天清早，县城商民在警察督促下打扫街道，垫土洒水，清理垃圾，并通知沿街商号悬挂国旗。我估计中央大员即将到来，便将必要药品装入医箱，另备担架一副，以应急需。第二天拂晓，接到出发通知，我随同担任天池警戒的二中队队长钟向荣和沿线警戒的一中队队长王一坤，率领部队，向马宗寿局长报到。马局长派警察局督察曹立捷率领部队到通往海台岔路口集合，恭候大员。

十点多钟，有五辆小车、三辆大道奇由县城驶过阜康东关，稍事停留后，即由担任警戒的部队以急行军方式在大小车队前开道，沿三工河谷向天池进发。因全系土路，颠颠簸簸，汽车一摇三晃，车行异常缓慢。涉过三道水，到石峡已是晌午，前方已无车道。阜康县副县长艾则力早已准备好十多匹马，在此等候。令人诧异的是，中央要员和督署陪同人员均未乘马，而是徒步从陡峭弯曲的马道上攀登而上。我和马局长以及督署陪同人员也尾随行进。马局长手指走在前头的一位身材不高、体格健壮的中年人说："他就是当今'太子'蒋经国。"还指着随侍在侧的几位大员介绍说：这是交通部长俞飞鹏，那是八战区副长官郭寄峤，这是省警务处长胡国振，等等。

从石峡到天池，路不太远，但徒步攀登，倒也非常吃力。蒋经国一行宽衣解扣，走走歇歇，到海台古庙已经日落西山了，当天下榻于事先搭好的毡房内，部队则寄宿于古庙大院。第二

天，蒋经国游览了天池和福寿寺，直到下午才缓步下山，到石峡乘车返回迪化。

蒋经国访问吐鲁番

康文煜

1945年秋冬之交，蒋经国在新疆警务处处长胡国振陪同下，来到吐鲁番访问，受到了县长曾问吾、驻军师长谢义锋等人的迎接。他们在新城警察局稍事休息并进餐后，前往额敏和卓感恩塔(俗称苏公塔)及清真寺参观。蒋经国对伊斯兰风格的建筑颇为赞赏。接着又分别到老城县立女子小学(维语教学)、新城县立二小(汉语教学)、新城县立女小(维语教学)等校视察，同校长、教员进行交谈，并听取教学方面的介绍。

翌日上午，蒋经国授意，曾问吾安排，召集宗教界上层人士举行叙谈会，参加叙谈的有：大阿訇阿不都里米提尕则，二阿訇阿不都拉，三阿訇热合木吐拉尕力，以及伊敏大毛拉，回族阿訇周明泰等十数人。蒋经国首先讲话。他说，我本来要一一登门拜访，但时间紧迫，只好有劳诸位在此叙谈。他说，孙中山先生毕生倡导各民族一律平等，并保障宗教信仰自由，反对民族压迫和民族歧视。国民政府执行中山先生的遗训。各位阿訇是本县宗教界的领袖，德高望重，一言一行，举足轻重。请各位阿訇引导穆斯林教友，以祖国统一，领土完整，民族团结，和睦友好为重，不受外来的分裂活动所动摇，保证新疆永远是祖国的领土。接着，阿不都里米提代表宗教界发言。他说，我们穆斯林一向爱国，都认识到我们都是中国人。我们也要履行宗教不干涉政治的保证。我时任县府翻译，始终陪同蒋经国参观访问，也参加了叙谈会。

蒋经国在吐鲁番逗留一宿。在当时"山雨欲来风满楼"之际，他在吐鲁番的出现，不能不引起境内外各方的关注。

曾问吾皈依伊斯兰教

康文煜

曾问吾，广东兴宁（即梅县）人，民国二十二年（1933）前后，任职于国民党参谋本部边务研究所，少将军衔。民国三十四年（1945）1月，应新疆省主席吴忠信的邀聘，出任吐鲁番县长。他在边务研究所任职期间，悉心研究西域历史，习攻回鹘语言文字，于民国二十四年（1935）11月出版《中国经营西域史》一书，深受国内外历史学家的关注。曾问吾之应邀进疆，意在亲历其境，进一步充实增补《中国经营西域史》史料，以存史资治。

曾问吾就职视事后，与当地穆斯林群众交往甚密，并开始攻读《古兰经》。政务之余，常就教于当地的四大阿訇。曾氏平生烟酒不沾，视赌似仇，深得当地穆斯林信赖。民国三十五年(1946)初，他向吐鲁番上层宗教人士提出皈依伊斯兰教的意愿，与尕力阿吉、吾甫尔尕力、尼扎木丁等宗教界知名人士通宵钻研教义教规。经过维吾尔族和回族宗教界头领的考核商议后，始同意曾问吾入教。

1946年古尔邦节，曾问吾入教一事正式向教友宣布。是日，在热合木吐拉阿吉寓所更换衣装，曾氏穿着维吾尔式长袷袢，头缠赛兰（白布），在众阿訇陪同下，前往额敏和卓感恩塔大寺做节日乃麻孜，聆听大阿訇讲经。随后走访各清真大寺及各族穆斯林群众，我一直随侍在侧。在吐鲁番老城至新城道路两旁，人们争相祝贺致意。当天起，曾问吾以穆斯林教规习俗约束个人行为，穿戴饮食全部维吾尔化。

九世宫明活佛

廖基衡

和静县巴仑台黄庙九世宫明活佛姜巴曲日木(1932—1987)，蒙古族，生于乌苏县境内蒙古旧土尔扈特东路左旗托斯台(三苏木)，民国二十四年(1935)被巴仑台黄庙确认为转世灵童，尊为九世宫明活佛。

1935年春，巴仑台黄庙派出二三十名有身份的高层喇嘛为迎奉使者，来到三苏木。先向转世灵童出生地的土尔扈特东部落副盟长兼左旗扎萨克敬献了一匹上乘骏马，给副盟长福晋馈赠了珠宝及锦缎衣服；又给贝子府的固子达、买仁、扎楞三名赞根送了良马，并说明了迎奉转世活佛的来意。在当地王府和将军沟喇嘛庙的协助下，历时半个月的观访，始举行了慎重的鉴定仪式。其中一项重要内容，乃系将该部落与灵童同龄的十数个儿童集中在一起，与灵童作伴一同辨认先世活佛的坐骑、佛珠串等遗物。当上述物品一一被姜巴曲日木指认后，他的转世活佛身份被正式确定下来。在隆重的宗教迎奉仪式下，姜巴曲日木由其父母、叔父陪同下迎往巴仑台黄庙，学习经文。

袁大化做寿

魏长洪

清末新疆最后一任巡抚袁大化(1851—1935),是宣统二年(1910)十月十二日被清廷任命的。宣统三年(1911)春节过后,他携子来新上任,于五月十五日抵达迪化。接事不久,七月初,袁大化亲自张罗要过六十岁大寿。这就忙坏了道、州、县各级官吏。事实上,袁大化生于咸丰元年(1851)十一月十一日。袁提前四个月就张罗做寿,是因为他已经看到当时资产阶级民主革命席卷全国,清王朝崩溃在即。

寿辰之日,祝寿宾客盈门,礼品琳琅满目,

有金银珠宝，有绫罗绸缎；也有送使女书僮的，有送骏马配银鞍的。袁大化在僚属的陪同下，参观了排列有序的各式礼品。其中迪化县知事张华龄送了一对高三尺的珊瑚树作寿礼。袁对此深为满意，但却假惺惺地问张华龄："此物不知需银多少？若价太高，就不敢受了。"张慌忙禀告说："不贵，不贵，不过三四十两而已。"袁说："那就难却盛情了。"当时张华龄采购此奇宝，三四十两不足一个零头。已被革职的知县王懋勋，因上贡有功，仍复原职。据巡抚大衙知情人透露，这一网，共捞得财物折价白银四五十万两。

双龙贡毯

倪尤庆

新疆省第五任巡抚潘效苏，是历届巡抚中最昏庸的一个。他于光绪二十八年(1902)上任以后，第一件事就是对西太后感恩图报，计划如何为两年以后的慈禧七十"万寿"好好孝敬一番。

潘效苏在计划贡品中，准备特制和田地毯一条，当即委托和田知州潘震办理此事。潘震奉命后，请人精心设计，决定幅长三丈六尺，宽二丈五尺，合九百平方尺(约一百平方米)，这是一个吉祥的数字，首创新疆最大地毯的纪录。此毯以黄色为主色，上织双龙，用上等棉纱和丝捻成极结实的经纬线，以当时技能所及的最大密度编制。栽绒采用和田特有的粗细适中、弹力大、拉力强、光泽好的和田羊毛，以波斯结扣结织，再经过细致的耙打、平剪而成。皮毯质量之好可谓空前。它具有美观、耐踏、耐磨擦等特点，即使局部遭机械破损，亦不致影响整毯使用寿命。

光绪三十年(1904)，这条特大双龙贡毯由新疆开始启运，预计在当年十月十日“万寿”节前运抵北京。不料此毯运到兰州时，正当八国联军侵犯中国之后，西太后受到各方压力，屡次下诏表示母子一心厉行新政，因此，不得不命令各地停送贺礼，于是潘效苏的一番“孝敬”之心未能实现。由于这条特大双龙贡毯极为珍贵，潘效苏不愿寄存兰州，又令人运回新疆。

七年以后，清皇朝覆没，民国成立。不意历史又走回头路，袁世凯于 1916 年演出了一幕称帝的丑剧。此时杨增新又重循潘效苏故辙，准备将双龙贡毯献给袁世凯；但袁的皇帝梦在全国人民一致声讨中很快破灭，这条双龙贡毯就一直存放在新疆财政厅的金库里。盛世才上台以后，此毯却不翼而飞，谁也不敢过问。

1949 年 5 月 16 日夜间，盛世才的岳丈邱宗浚一家及其雇佣人员共十一口，在兰州被仇家杀害。在清点邱家遗产时，发现他们在兰州成雅斋寄售地毯的票据一张。经查原来此毯正是那条不翼而飞的双龙贡毯。邱宗浚凭借其婿盛世才的权势，于1936年当上了新疆建设厅长，其子邱定坤当上了审判委员会委员。盛世才捏造罪名，将当时的财政厅长陈德立逮捕入狱害死，于是陈德立的私产及财政厅金库内的贵重物资，包括特大双龙贡毯在内，就全部落入贪婪无厌的盛、邱两家私囊。通过这次兰州仇杀案，这条用新疆人民血汗织成的珍贵地毯的下落，终于大白于天下。

“猴精”冤案

罗绍文

19世纪60年代出生于和田、以后落籍库车的维吾尔族杂技演员阿西姆·阿吉，曾跟随其父、祖卖艺于阿富汗的喀布尔、土耳其的君士坦丁堡、希腊的雅典、沙特阿拉伯的麦加以及印度、埃及等地，历亚、非、欧三洲部分地区。他在国外走大绳的艺名远播，但却只能与耍蛇人和吉卜赛人结伴为伍。

1882年回国后，他全家长期在南疆各地走乡串镇，为乡亲们演出，备受欢迎。1903年，他全家来到迪化，在巡抚衙门前拉起了25米的斜升大绳献艺。他在大绳上走荡丝、翻跟斗、踩高跷和表演其他杂耍，穷极惊险，无不出人意表，一时轰动整个迪化，也惊动了当时的巡抚衙门。当

时巡抚潘效苏,豢养着大批鹰犬作威作福。这些人一见阿西姆·阿吉的绝技，不禁妒火中烧,谓此等绝技,非人所能为,阿西姆·阿吉必是猴精,行将为害于人。并谓猴血与人血不同，应予捉拿,验明真伪,予以降伏,以正视听。于是,一场荒谬绝伦的暴行发生了:阿西姆·阿吉一家艺人悉被巡抚衙门的一群鹰犬拘拿毒打,阿西姆·阿吉本人则被割破额上皮肉,放血验证。此时已经四十多岁的阿西姆·阿吉，突然遭此意外横祸,愤慨之余，只是再三呼喊:“我是人！我是中国人！”巡抚衙门的那群鹰犬最后只好将阿西姆·阿吉等释放,全家逐出迪化了事。

以后,阿西姆·阿吉一家继续在南疆各地演出杂技,并于 1918 年再一次出国卖艺。抗日战争期间，阿西姆·阿吉将卖艺所得银圆一万元,捐献给抗日前线将士。他从事杂技艺术表演七十七年，培养出在国内外享有盛誉的高徒史迪克等二十七名。他 1952 年病逝,享年九十三岁。

堂　期

柴恒森

清制，各级官员定期在衙署集会议事称为堂期,亦称堂会。如封疆大吏总督、巡抚等常于每月朔望日，会同藩臬两司接见省城在职的大小官员及卸任、候补官吏，以便咨询政务或有所训示，成为惯例。

辛亥革命后，杨增新(1863—1928)掌理新疆军政，仍保留这一制度。1919年余家租居南门里二道巷常姓院内，常姓房东时任南城门委员，带领士兵数名，专司守卫及晨暮启闭城门。每月逢初一、十五便衣冠整齐，清晨即赴督军公署大堂等候堂会。有次听其谈论，某候补衣冠破旧，趁堂会之日，趋至杨增新座前跪下，声称生活穷困，妻儿啼饥号寒，请求安排实职。杨左顾幕僚略示数语。不久，此人被委为某县监收委员走马上任去了。杨向来生活俭朴，反对奢侈。此人破例委以实缺，乃杨增新崇俭恶奢之所为。此后每逢堂期，向日衣冠楚楚者均改着布衣。

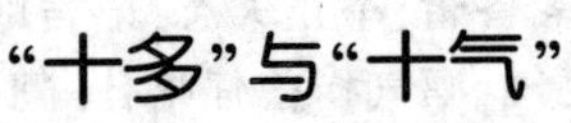

王子钝　黄万贤　孔庆武

杨增新在一次宴会中曾提及他的僚属特性，他说：“吾之僚友，各有所好，今有十多告与大家：民政厅长易抱一好弄麻将，赌瘾多；财政厅长潘震好施舍，慈悲多；实业厅长阎毓善无病呻吟，诗词多；教育厅长刘文龙惟利是图，生意多；参赞汪步端东涂西抹，书画债多；师长蒋松林出身行伍，经验多；外交特派员樊耀南嗜繁文缛节，礼节多；伊犁镇守使杨太虚（飞霞）喜禅机，经卷多；喀什提督马福兴好渔色，姬妾多；我的案牍多。”语罢，座客大笑。

当时新疆官场还有“十气”之说，即阔气、神气、暮气、客气、财气、道气、酸气、酒气、烟气、色气。阔气指实业厅长阎毓善，家道殷实，金银珠宝，古玩书画，琳琅满目，生活阔绰；神气指政务厅长金树仁，他为人冷漠、严峻，对上下属不迎不送，俨如泥塑木雕；暮气指师长蒋松林，平日对士兵不加操练，疏于管教，终日郁郁闷闷，无所作为；客气指军务厅长兼特派交涉员樊耀南，对人和蔼谦虚，脸上常挂笑容，彬彬有礼；财气指教育厅长刘文龙，开字号钱庄，生意大，家产多；道气指伊犁镇守使杨飞霞，蓄全发，易道服，诵读经书，打坐参禅，不问世事；酸气指迪化道尹李溶，年老昏庸，举止失态，语言颠倒，有一股迂腐寒酸之气；酒气指曾任喀什、阿克苏两地道尹的鄂英，嗜酒如命，手不离杯，终日昏昏，张口酒气熏人；烟气指师长刘希曾，鸦片瘾极大，一气能吸完十个烟泡；色气指旅长杜发荣，好渔色，所到之处，妓女成群跟随。

“穷极无聊想做官”

刘　勤

杨增新主政新疆时，教育厅长刘文龙有一同乡刘澄清，怀才不遇，年近古稀，生活贫困。一日，刘文龙引其谒见杨增新，行跪拜礼。

杨问：“何事？”

刘对曰：“请谋一枝栖。”

杨曰：“我出一联，如对得工稳，即委一缺。”遂讽之曰：“老而不死是为贼。”

刘应声对曰：“穷极无聊想做官。”

杨赞绝妙，竟如所愿。

一字之差成冤狱

王文邕

民初杨增新主政新疆时，哈密“天义顺”掌柜朱老三，欲从焉耆蒙古王处购买一匹种马，以改良哈密马种。几经协商，种马顺利成交。朱掌柜派去焉耆办事的人发了一封电报，告诉主人种马已经动身上路，电文是：“儿马动。”谁知当时哈密电报局的译电人员一时大意，竟将“儿马”译成“二马”。

时冯玉祥在西北势力甚大，陕甘均在掌握之中。杨增新惟恐冯部觊觎新疆，乃在哈密等处遍布密探，以防冯玉祥势力渗透。密探获此电报，误认二马指冯，以为冯部要进犯新疆，立即电告杨增新。杨即电命逮捕“天义顺”掌柜朱老三及其弟朱老五。经反复审讯，未发现任何可疑之处。但杨仍疑团难释，再派人多方调查，仍未发现异常情况。半年以后，因局势平稳，朱家又再三托人求情，上下打点，朱家弟兄方以“事出有因、查无实据”被释。

马福兴被杀记

回族·马符绥

民国五年(1916)，杨增新、马福兴、刘长炳在迪化歃血为盟，结成金兰三友。他们对天发誓：“一亡三亡，一在三在。”从此，杨增新在迪化为都督，马福兴在喀什任提督，此外和田有刘长炳，伊犁有杨飞霞，哈密有李寿福，分片镇守，新疆政局逐渐趋于稳定。

十年后，即民国十三年(1924)，杨增新忽然杀了马福兴。当时，我已十八岁，亲自目睹了事件经过。

马福兴到喀什后，自恃功高，逐渐骄奢起来，占有妻妾多房、丫鬟七十多人。民国十二年(1923)，直奉战争爆发，奉系失败走关外，直系军阀控制了北京政权。于是，曹锟采取策动内阁辞职、军警索饷等手段，逼总统黎元洪下台。接着他以重金收买议员，在10月10日演出一幕“选举”他当民国总统的丑剧。

曹锟当上总统的消息传到喀什后，马福兴接受三姨太马瑞珍的劝说，准备和曹锟拉上关系。因三姨太与曹锟爱妾是旧相好，便派我妻胞兄马吉德和马柏林到苏联安集延买回二十对好马，其中四对为豹花马。然后由马吉德和我的哥哥马福禄护送三姨太到北京活动。归途又在兰州逗留，和冯玉祥系来往甚密。不久，北洋政府授予马福兴为建威将军，颁给将军服一套、七狮宝刀一柄。谁知此事已传到杨增新耳里。杨认为马福兴背着自己同北洋政府和冯玉祥系挂上钩，直接威胁着他的地位，曾命其辞职来迪，并令其停止扩军，马福兴断然抗命。于是杨遂下决心剪除他。

民国十三年(1924)3月，杨增新指派阜康守备陕有才(当年杀李寅、夏鼎的刀手)，作为暗杀马福兴的刺客前往喀什；并委鄂英为总司令、马绍武为回队统领、张子清为参谋长，率步兵十营、骑兵二营，轻装袭取喀什。

经过一番精心策划，马绍武于这年5月22日，即夏历四月十九日拂晓，攻进提督府，马福兴中弹受伤，被马绍武捕押。5月23日，即夏历四月二十日，马福兴被绑在北门外十字木架上，马绍武首开一枪，接着士兵们打了一排子弹，骄横一时的马福兴就这样毙命了。

"七七政变"亲见片断

柴恒森

1928年7月7日，在迪化发生了现代史上举国震惊的所谓"七七政变"，新疆边防督办兼省主席杨增新被刺身亡。这次政变的内幕及其真相，众说纷纭，莫衷一是。我曾目睹此次政变时的一个片断，特笔录存史。

民国十七年(1928)7月7日，新疆省当时的最高学府——俄文法政专门学校隆重举行第一班学生毕业典礼。我时为省立中学应届毕业生，由于两校同处一院，故决定毕业典礼合并举行。当天上午，新疆军政显要及苏联驻迪化领事馆官员均应邀参加。典礼结束已午后二时许，随即开宴进餐。不久，突闻枪声大作，正在窗外围观宴会的人群，顿时乱作一团，纷纷向后门狂奔，人群中有人呼喊："杨将军被刺了！"(民初，杨增新为新疆都督兼巡按使，后改为督军兼省长。民国三年(1914)6月30日，北京政府大总统袁世凯发布命令，杨增新着加将军衔，故民间仍呼杨为将军。)在惊惶中，我也随人群逃出校门，向西箭道附近的家中跑去。当我跑到督署西栅门前时,只见樊耀南坐皮包车向督署头门急驰而进,车后有二十余名武装人员跑步跟随。我甫抵家,即向与我家同住一院的姐夫、督署机枪队队长王世奎告以杨将军被刺的消息。姐夫未及细问,急忙离家回署。当时街巷店铺已纷纷关门闭户,督署头门亦已紧闭,不得入,他又急忙转到西箭道南端督署围墙,高声呼喊,方得缒墙进入。有顷,在政法学校宴席上被击毙的旅长杜发荣之子、时任营长的杜国治率领二百多名武装士兵开进督署,嗣后即闻督署内枪声密集,但顷刻间即趋宁静,从午后二时许杨被刺至此,时仅三小时。

是日下午七时许,督署头门前广场的大照壁上,已贴出了盖有新疆省政府大印的告示,谓本日乱党戕害长官,占领省政府,现叛首樊耀南等业已伏法,叛党之乱已经平息云云。告示落款署名是新疆省政府临时主席金树仁。

金树仁追债有术

贾耀喜 述　汤永才 整理

1916年,金树仁接任阿克苏县知事时,前任移交下来一件久悬未了案。原来当地一个权势人物,在未发迹前,借有原告一大笔钱,后来仗势欺人,要赖不还,为此诉讼多年。前两任知事虽发传票,但被告抗拒不理,一直无法结案。

金树仁接此案后,即传原告核实案情,并通知被告限期还钱,但被告仍不理睬,金即召来二名衙役,吩咐说:

"你们每天去向被告要钱，但不要进屋,专在街上有人的地方要。遇到有面子的人到他家做客时,就在门口等候,等他出来送客时,就高声喊:'你借某人的钱早已过期，县知事要我们来催要。'但不能争吵，就这样天天抹他的脸皮。"

这招真灵,时间不久,被告就把钱还清,而且把家也搬了。

蒋介石管得真宽

段　续

1944年,新疆与内地,乃至与欧洲(莫斯科)通航,少说已有十二三个年头的历史了。然而,当时的平头百姓是不允许乘坐飞机的，就是省府委员、厅长等达官贵人去内地公干搭乘飞机,也得事先报请蒋介石核定。

当时第八战区司令长官朱绍良、新疆省政府主席吴忠信,为此曾联名以戌感(11月27日)电请蒋介石授权先行代为核定。蒋介石也曾以

亥俭(11 月 28 日)电照准,电文是:

“迪化朱长官、吴主席:戌感电悉。密。所请新省因公内飞人员,授权先行代为核定一节,可予照准,已饬航会遵照。中正亥俭申侍参印。”

真假博士

王文邕

尧乐博斯是在新疆多变的政治风云中发迹起来的政客。为了沽名钓誉,他有意识地把尧乐博斯改成尧乐博士,鱼目混珠,身价倍增。后来,盛世才和国民党当局为投其所好,所有报刊、公文皆以“尧乐博士”称之。

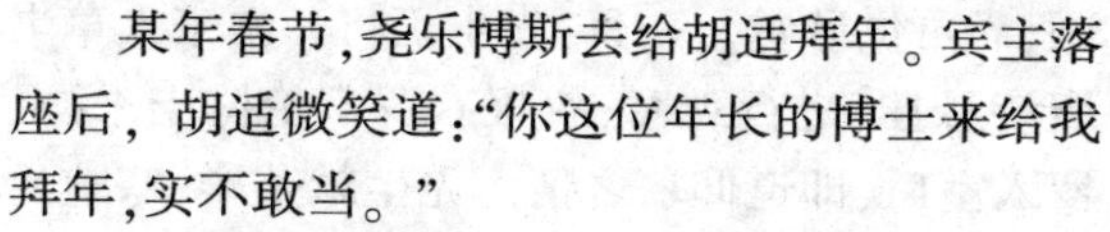

某年春节,尧乐博斯去给胡适拜年。宾主落座后,胡适微笑道:“你这位年长的博士来给我拜年,实不敢当。”

尧乐博斯狡黠地答道:“你是满腹经纶的真博士,我是胸无点墨的假博士。假博士理应给真博士拜年。”

胡适等人听后哈哈大笑。胡适接着说:“这话要看怎么说了,如果以名字而论,你这个博士是真的,我才是假的。因为别人喊我的名字时,完全可以不加博士头衔。但如果有人喊你的名字时,只叫‘尧乐’而不叫‘博士’,那岂不成了天大的笑话吗？所以，你的博士是真，我的博士是假的。”

话音刚落，在座宾客都乐得前仰后合。

罗家伦欺骗桂芳生

王钝根

吾师桂芬，字芳生，为京华名宿。在杨增新、金树仁主政新疆时期，曾历任要职。盛世才上台后，先生亦以“莫须有”罪名，被逮捕入狱，历三年零八月，方得开释。及至归来，不见四壁之书，始知家已被抄，但先生处之泰然，不以为忧，惟有乐天知命而已。

先生藏书万卷，悉被抄走，只留下数幅旧字画，尚可供欣赏。一日，先生正将一幅宋人草书唐诗悬挂，进行观摩，忽报有罗家伦博士来访。罗入室后，即道仰慕之情。先生献茶毕，寒暄片刻，罗盛赞此幅书法之神妙。移时，罗即向桂老请求借观一日，以饱眼福。桂老慨然应允，罗即将此幅草书唐诗携走。

次日，罗乘飞机出国，派人给桂老送来纸币三百元，作为字幅折价。桂老此时方知受骗，气得半晌无语，但亦无可奈何。

给蒋介石送礼

贾耀喜 述　汤永才 整理

1933 年 5 月，我随金树仁全家从西伯利亚搭车到达海参崴,因日苏战争爆发,陆上交通中断,火车停驶,水路又无定期航轮,只得困居海参崴。8 月初,有一艘英国商船去塘沽,金树仁携眷搭乘此船离开海参崴,经塘沽到达天津。

10 月初，国民党军事委员会来电催金树仁去南昌述职,并报告新疆“四一二”事变详情。中旬,金树仁仅带我一人到达汉口。18 日,蒋介石在庐山牯岭官邸宴请金树仁,有熊式辉、陈调元等作陪。宴会毕,蒋又单独与金树仁交谈。20 日,金树仁命我给蒋介石送去四色礼品，计鹿茸一架,羚羊角一对,镂花瓷屏四扇,和田纯白羊脂玉笔筒一个。我送到官邸侍从室,侍卫官将礼品及金树仁禀帖一并送进内院。不多时,侍卫官将印有“蒋中正”字样的名片交我带回,并赏我现洋一百元。

10 月 29 日，我护送金树仁晋京。30 日清晨,金与我驱车到中山陵谒陵。当晚,国民党行政院一官员率领四名宪兵来到金的下榻处中央饭店,向金树仁出示逮捕令,当即押送首都警察厅关押。

事后得知,金树仁在新疆主政五年,横征暴敛,大肆扩军,杀害无辜,冤狱丛生,以致民怨鼎沸,民变迭起,民间纷纷向国民政府控告,而被关押候审。

疑窦丛生

胡正华

盛世才生性多疑,及至离疆前夕,更是杯弓蛇影,风声鹤唳,在心惊肉跳、顾虑重重中打发日子。

1942 年秋天,盛家年仅六岁的二小姐克俭,钻进厨房在盘子里抓菜吃。厨师吓唬她:“不能吃,有毒。”随将菜盘移置高处。娇贵的二小姐,吃不到菜,即噘着嘴上楼告状。她的妈妈邱毓芳逗她:“为什么不让吃?”二小姐回答:“他说‘有毒’。”

邻座的盛世才一听菜里有毒,有如五雷轰顶,吓得毛发倒竖,立即蹦了起来,命将菜及厨师都带来要亲自盘查。当厨师知道这一误会之后,要求当面试吃,盛世才怒叱:“你这是服毒灭口!”立即将厨师关押起来,并派人去厨师家翻箱倒柜,搜查毒品,同时将管厨司务长找来责问。

这位司务长是盛世才的三叔,人挺厚道,人

家称他盛三爷。他进来时,看见把稀贵的雪鸡、熊掌等扣在地板上让狗吃,心疼得直拍大腿,就说:“真是糟塌,与其喂狗,倒不如赏给我吃。”盛世才火冒三丈地喝道:“有人在我菜里放毒,你管厨的却不知道。这条狗如果在七天之内反应不正常,我再跟你算帐。”盛三爷被骂得脸色煞白,一腔委屈,就哆嗦着分辩了几句。这一来更是火上加油,这位督办大人要公事公办,即使亲为叔父,也不宽贷,于是,盛三爷被“恩赐”了三十大板。

武备学堂军乐队

锡伯族·中孚

清末维新运动波及新疆，在伊犁将军长庚的倡导下，大兴实业，设置学府。文有惠远两等学堂，武有伊犁武备学堂。一文一武，教育开道，伊犁地区倒也生机勃勃。

武备学堂聘有日籍教官原尚志主持教务，此人训练严格，执纪严明。为整军容军威，特成立一支军乐队。从天津聘来军乐教官任教，又从国外购进整套铜管乐器，从锡伯营中挑选二十岁上下的青年任军乐队员。这批勤学上进的锡伯族青年，日夜演练，进步神速，不久，即能识谱吹奏，一时号音鼓声响彻武备学堂操练场内外。1909年，中俄边境部队举行联欢，武备学堂军乐队首次在外宾前公开演奏。队员身着饰以金丝银线绣成的带穗肩章，红黄相间的绶带，头戴盔形白缨笠冠，华丽堂皇，精神抖擞，演奏的中外队列乐曲或古曲乐章悠扬悦耳，令人赏心悦目。俄军将士不时鼓掌，领队军官盛赞新疆这支军乐队能与俄军乐队相伯仲。

新疆第一支军乐队的第一任队长景寿，是锡伯族中极有声望的拔萃人物，具有音乐才华。他不仅在声乐的理论和技巧上造诣甚深，同时又是一名作曲家，他博览中外音乐史籍，汲取祖国优秀的音乐遗产，创作出不少乐曲。但由于当时新疆处在封闭状态，缺乏知音，他的作品未能留存下来。凭我回忆，作品中有《伊犁河波涛》一曲，至今仍可隐约回味。

传世之作《乐师史》

李吟屏

毛拉尼买吐拉·穆吉孜，全名毛拉·伊斯迈托拉·宾·毛拉尼买吐拉·穆吉孜，19世纪和田著名的维吾尔族学者，知识渊博，兼通乐理。当时的和田阿奇木伊里西尔赞誉他为“夜莺之王”，是个“很有文采的高明的文人”。毛拉尼买吐拉·

穆吉孜除用本民族的文字写作外，还通晓阿拉伯文、波斯文。其作品传世的只有一种《乐师史》。

《乐师史》是奉和田阿奇木伯克伊里西尔之命而撰。他在动笔前参阅了《拉什德史》、《台比尔史》、《纯洁之园》、《阿拉伯史》、《乎库玛史》、《学者传》等古代典籍，这些书有的已失传，因此《乐师史》保留了不少史料。《乐师史》通过十七位乐师兼学者的经历，扼要地阐述了维吾尔族音乐和木卡姆的发展；通过一些乐师的轶事，记叙了音乐对人的精神世界产生的巨大影响。尤其可贵的是，该书转述了16世纪维吾尔族木卡姆女演唱家阿曼尼莎汗王后的事迹，成为留存今天的惟一的记录这位女性的书籍。《乐师史》也是迄今发现的惟一的一本关于维吾尔族音乐的典籍。

诗人奴比提

李吟屏

一个世纪以来，在和田、喀什等地的伊斯兰经学院的课本中，著名维吾尔族诗人奴比提的不少作品，被列为必读课文，这在维吾尔族的宗教教育史上并不多见。

奴比提17世纪生于和田，18世纪上半叶从事创作，曾有诗歌集问世。在和田民间，有不少旧抄本流传。

在奴比提的诗歌创作中，大多以爱情为主题，但也不乏赞颂美好心灵、鞭挞伪善的诗作。在一首“格则勒”(诗体之一)诗作中，他用奔放的笔调，赞美维吾尔妇女的秀色，诗中写道：

眉如拜坛拱弯，眼如清泉晶莹，
身如松柏清秀，动如黄羊轻盈，
面如十五圆月，唇如红色宝石。

这种独特的语言特色贯穿于他的整个作品。

奴比提热爱家乡，写下不少歌颂故乡的诗作。他赞美和田的土壤是吉祥之土，可供妇女画眉点痣。还把和田比喻为美人脸上的太阳，蛾眉中的新月，眼睛中闪烁的明星，是诗人的生命和躯体。他的部分诗歌作为歌词填入了《十二木卡姆》，成为维吾尔族人民中脍炙人口的千古佳作。

作为一个生活在群众之中的诗人，奴比提诗作风格热情洒脱，语言通俗流畅，富有浪漫气息。他的声誉远及中亚各地。其传世作品是维吾尔古典文学的重要遗产之一。

《伊犁白话报》

袁棣一

《伊犁白话报》是伊犁同盟会员主办的报纸,它创刊于1910年3月,即宣统二年。由伊犁同盟会主要成员之一的冯特民任主编,它是新疆第一张报纸,也是开创"白话文"办报的先驱。

报纸发刊之初,以汉、满、蒙、维吾尔四种文字出版,三日刊。其栏目设置别具匠心,除新闻外有《演说》、《爱国话历史》、《译报》、《杂俎》、《闲评》等等。文章短小精辟,通俗易懂,能切中时弊,呼喊民主,抨击专制,为伊犁辛亥革命提供了舆论准备。

该报刊头有清宣统年号以及农历、西历、俄历三种日历,还刊有"星期"、"清真礼拜"等。报纸定价每月制钱三百文,外埠纹银三钱。

1911年11月,忠于清廷的保守派人物志锐出任伊犁将军,为钳制革命舆论,勒令《伊犁白话报》停刊。该报经历计一年又九个月。

萨拉春兴学纪事

杨凤培

锡伯族著名教育家萨拉春，留俄回国后，于1913年同一些热心教育的青年，在锡伯族中组织“尚学会”，由满族学者博孝昌为会长，萨拉春为副会长，创办了新体制的学校，采用商务印书馆出版的新式汉文课本，实行双语教学制，以丰富、充实和提高民族的文化素质。因此，锡伯族许多知识分子不仅掌握了汉、维、俄语言文字，而且也发扬了本民族的固有文化。目前，完整保持新满语的也只有锡伯和达斡尔族了。

“尚学会”力排非议，第一次招收了女生，大搞军训，举办学生运动会。学习文化的同时，还从事多种手工练习，不时举办学生手工展览等，这对锡伯族教育事业走上现代化起了重大的推动作用。

1926—1930年萨拉春任中国驻苏联阿拉木图领事期间，还带了十来名锡伯族青年去苏留学。回国后，有些学生仍有继续深造的必要，因而聘请高级知识分子、著名律师斯罗米次基，数学家列蒙和普罗科波夫，讲师扎玛塔也瓦等，还有中文教员多敦九，成立“中俄学校”，并推举斯罗米次基为校长。这所学校所采用的初、中级教

材，多为苏联出版的教科书，教学质量较高，同时也是伊犁地区第一所中等学校。这所学校起初只有两个班，后增至五个班，招收各族学生约一百五十余人。

“中俄学校”并无固定校址，最初借用海关一栋办公室(原道胜银行)，后又迁至原审判厅旧址。“中俄学校”到1933年杨正中进攻伊宁时被迫停办。萨拉春在这前后利用涉外工作之便，又选送了一批学习成绩优异的各族青年去苏联深造。这批留学生，目前在乌市健在的尚有四五人。

秦腔名角卡帕尔

罗绍文

新疆曲子戏在新疆汉、回、满、锡伯等操汉语的民族聚居的广大农村、城镇，广泛流传了近半个世纪以后，1933年在迪化建成的元新戏院正式开锣和省城观众见面。演出伊始，迪化市民就如着了迷似的，感到亲切、够味。不久，新疆曲子戏的舞台上，又爆出了不同凡响的一大新闻：一位维吾尔族的演员在《老少换》中饰墨婆(媒婆)，在《卖水》中饰演李彦贵，在《烧窑》中饰演刘秀；又在秦腔舞台上饰演《二进宫》中的杨波，《卖华山》的赵匡胤。他的唱、做、念、打无一不精。在饰演丑角插科打诨时,居然能脸上冷隽,嘴里轻松,极得其妙。表演中的程式化,长于此道者,对他也无可挑剔。身段的节奏化、舞蹈化可谓出神入化,浑然天成。由于他天资聪敏,技艺全面,戏路宽广,无论本工、应工两门抱的戏都能演,行活叫“文武昆乱不档”,所以给人的印象最深。

这位维吾尔族演员本名卡帕尔,还取一个汉名叫陈永发,原籍吐鲁番,后随父母迁居迪化,在南门以卖羊肉为生。他与汉人过从密切,对关内地方戏曲有特殊的爱好,说得一口非常流利的汉语。30年代中期,迪化城隍庙内的新中舞台、元新戏院和衣铺街的天山戏园,经常上演秦腔和新疆曲子戏。卡帕尔白天卖肉,晚上看戏,不久,就学会了秦腔和曲子戏中很多唱段,并学会了文场中好几种乐器演奏,如三弦、月琴、唢呐等。由于他迷上了地方戏曲,白天卖肉时,也常情不自禁地自编一些唱段叫卖和顾客逗乐,如:“为王的卖肉有肥有瘦,毛张飞卖肉起家占了荆州……”

还自编了几句妙趣横生的汉维语合璧的秦腔“乱弹”:“头戴缨盔——托玛克,身穿战袍——阔耐克,足蹬朝靴——约提克,手提大刀——皮卡克……”

当有人夸他时,他更会在大街上提袍、甩袖、捋须、踢腿,在他的肉摊前来一段包公戏。当时新疆曲子戏还在发展定型时期,程式尚未完全规范化,要求并不十分严格,曲子戏班就将卡帕尔作为"票友"请去登台演出,果然出手不凡。当时著名曲子戏演员贺老六正式收他为徒,他就这样在新疆曲子戏和秦腔舞台上越走越红,名重一时,成了专业演员。以后嗓子坏了,还在戏班操琴、司鼓,40年代后期在哈密去世。

京腔演员达吾提

罗绍文

在民国三十年前后一段时期,新疆戏曲界有一位著名的河北梆子、京剧演员达吾提。他是地道的维吾尔族,迪化(今乌鲁木齐市)人,出生在小南门一个小手工业者家庭,聪敏异常。幼年,他在离家不远的一家理发店帮干零活,平时他就经常留意师傅理发剃头的步骤、要领,细心揣摩,竟没有拜师很快就成了一名理发匠。

当时,河北梆子戏班的演员宿舍离他家不远,每天清早,演员们在辛苦练功,他对武工练习,特别感兴趣,于是在旁边跟着学。晚上则去看他们演出,也像学理发剃头一样,细心揣摩戏文,学唱、念、做、打,因此逐渐结识了"吉利班"的演员。班主见他武工不错,汉语流利,学习刻苦,人又勤快,就让他跟班理发剃头,在人手不够时,也让他跑龙套。以后,"吉利班"的名武生,人称“小四儿”的何金霞收他为徒学戏，从此他就成了一名武生演员。

河北梆子和京剧，在脚色行当分类及表演程式上基本相同，只有净生行稍异。河北梆子的净生行是须生扮相，花脸唱腔，兼用生、净两行表演程式，由净行演员应工，锣鼓打法也与京剧相似。因此，达吾提也在京戏班里搭唱过京戏。

曾于40年代活跃在新疆话剧舞台上的高尚义老先生说：“达吾提在京剧中演关公的马童给我的印象最深，他翻跟斗干净利索，没有一次不博得满堂彩声，为其他武生演员所不及。”

达吾提由于才艺出众，以后曾在奇台、察布查尔等地组建河北梆子戏班演出。

著名秦腔演员楼英杰

楼建高

楼英杰，西安市人，家境贫寒，青年时参加杨虎城将军领导的十七路军。西安事变后，离开部队，凭少年时曾入西安翟龄社学习秦剧艺术的深厚功底，先后在西安友民社、正俗社同秦腔名家李正敏搭班演出，名噪一时。

后来他应甘肃秦剧名家沈和中、刘毓中、刘易平、田德年、何振中等人之约，联袂演出于兰州、天水、武威等处，随后又千辛万苦辗转来到新疆。

楼英杰兼工花旦、青衣，扮相秀丽，唱腔清亮，做工细腻。如他扮演《柜中缘》中十七八岁的少女徐翠莲，表演穿针、引线、绣花时，其娴熟细腻、逼真的艺术技巧和天真烂熳的姿态，使观众大为喝彩。又如扮演《赶坡》中的王宝钏，为了演好角色上场、上坡、下坡、提篮挖菜等动作，他早年曾赴王宝钏寒窑周围体验生活，所以将这些生活细节，演得维妙维肖。他的拿手戏还有《戳纸墙》、《三堂会审》以及《拾玉镯》、《走雪》等。

李云扬教唱抗日歌曲

维吾尔族·阿·吾铁库尔

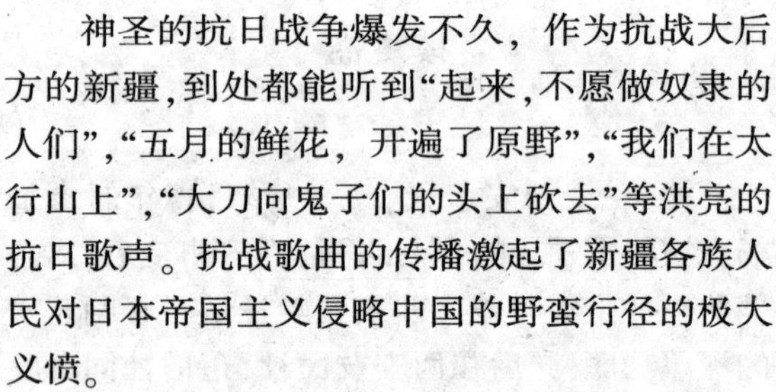

神圣的抗日战争爆发不久，作为抗战大后方的新疆，到处都能听到“起来，不愿做奴隶的人们”，“五月的鲜花，开遍了原野”，“我们在太行山上”，“大刀向鬼子们的头上砍去”等洪亮的抗日歌声。抗战歌曲的传播激起了新疆各族人民对日本帝国主义侵略中国的野蛮行径的极大义愤。

在新疆传播这些抗战歌曲的是一位和颜悦色、平易近人、身材匀称、爱唱爱跳、精力充沛的青年人，他就是曾在1938年任省立第一中学校长的李云扬。后来才知道，他就是从内地来新疆工作的中共党员。

省立第一中学，当时在新疆是一所比较有名、历史比较悠久的中等学校，民、汉学生有四五百名。李校长除了繁忙的行政、教学任务外，其余时间大都花在宣传抗日、教唱抗敌歌曲上。每天晚上都要在操场亲自给学生教唱，还要到其他学校和文化团体教唱。虽然抗日的烽火远在数千里外燃烧，但在塞外，群众同仇敌忾的高昂激情，像地层的岩浆在运转。

我记得在那些年代里，为纪念“九一八”这个国耻日，迪化市都要举行为期一周的全疆运动会，在北门外大操场进行各项体育比赛和文娱活动。外区来的民族运动员历来都在一中清真食堂吃饭。晚饭后，大家不约而同地集中到学校操场进行文娱活动。

一天晚上，李云扬校长照常来到我们当中，一起欣赏节目。这时有人提议请校长表演一个节目。他毫不推辞地接受了同学的要求。他先唱“高粱叶子青又青”这首歌，然后详细地介绍了“九一八”事件的经过。同学们被李校长高昂的歌声和“九一八”民族耻辱的历史所感染和警醒，受到了一堂爱国主义的教育。

听赵丹讲课

锡伯族·佟敏长

1939年8月，我经锡索满文化促进会塔城分会的派遣，参加了新疆省文化协会主办的文化干部训练班学习。这个班由茅盾任主任，张仲实任副主任。开学时，当我们听到赵丹、王为一等将在训练班讲课时，人人欣喜若狂，几乎跳了起来。

赵丹，一身旧西装，一头蓬松发。论相貌，并不出众，嘴角还有些瘪。但眼神、眉峰有一股说不透的灵气，风度倒也潇洒脱俗，却也有不拘小节的味道。他上课，别有一番景象，只要一上讲台，似乎浑身细胞已在骚动，手舞足蹈，劲使不完，力用不尽，使学员入迷。在上表演课时，介绍著名剧作，剖解剧中人物，他早已忘却此时正在上课，如入无人之境，进入角色，即席表演，喜怒哀乐，淋漓尽致，令人叫绝。只要听说赵丹上课，便召来四方听众。

赵丹在新疆，可以说喜剧开始，悲剧结束。他是新疆话剧运动的拓荒者。听说他初来塞外，曾经看过一个学校演抗日短剧。剧中两代四口人，老头说东北话，老婆甘肃口音，儿子地道河南腔，媳妇则是满口新疆家常话。南腔北调，令赵丹捧腹大笑，于是他积极提倡、推广了普通话。

我们在学习期间，曾观摩实验话剧团的演出，看过《战斗》、《夜光杯》、《顺民》等话剧，丰富了学员们的戏剧知识。最后，我们全体学员参加了新疆学院集体创作的《新新疆万岁》大型话剧，由赵丹、王为一执导。此剧主题是歌颂六大政策给新疆带来的巨变。当然，歌颂六大政策，实质上也是歌颂陈潭秋、毛泽民、林基路等一批派在新疆开拓工作的中共优秀党员。但盛世才是个善于投机、惯用两面手法的新军阀，他投蒋反苏的目标既定，任何劝说也是多余的。1940 年深秋，《新新疆万岁》演出不久，盛世才设宴招待全体演出人员，这却是一个不祥的信号。果然不出所料，翌年初，赵丹等人被捕入狱，给《新新疆万岁》续上一个悲剧式的尾声。

高歌一曲化干戈

朱苓煊

1940 年的“九一八”纪念日，新疆博乐县在段士谋县长的主持下，举办了第二次体育运动会。运动会期间，人山人海，盛况空前。各族健儿的精彩表演，引起阵阵喝彩。

在最后的摔跤决赛中，引起一点纠纷。维吾

尔族的司马义和蒙古族的色尔加，体壮力大，都是摔跤能手，他们拼力角逐，势不相下。而双方啦啦队，也各据一方，鼓噪助威，紧张激烈，已达极点。最后色尔加获胜，趾高气扬；而对方则怒目相望，摩拳擦掌：一场意气用事的斗殴，大有一触即发之势。

正在这一关键时刻，段士谋来到第一、第二小学学生队伍前，指挥高唱抗日歌曲。先唱“工农兵学商，一齐来救亡……脚步跟着脚步，臂膀挽着臂膀……”接着唱“我们都是神枪手，每一颗子弹消灭一个仇敌……”以及“大刀向鬼子们的头上砍去……”等等。群众也跟着唱，歌声雄壮嘹亮，激荡着每个人的心房。于是一时之间血气方刚的冲动，迅速得到了缓解。这时段县长又因势利导，对大家讲明，举办体育运动会，主要在于锻炼身体，增进团结，不在于谁胜谁负。他还说比赛胜负是暂时的，而民族之间的友谊团结是永存的。更不能兄弟阋于墙，而影响抗日。双方情绪，终归渐趋平静，以至于烟消云散，双方又握手言欢。段县长一曲高歌化干戈的美谈，至今犹为人们所传颂。

赵望云画马

涂庶之 讲述　涂　生 整理

吾师赵望云，蜚声中国画坛几十年，作为开创一代画风的巨匠，望云先生是当之无愧的。中国画的内容，几千年来一直由文人画统治，画中清逸脱俗，不着人间烟火。而大胆地将劳动人民的日常劳作与生活引入画面，开拓新画风，则归功于望云先生。

著名国画大师张大千与望云先生是画坛好友。一次，大千先生问赵望云："你画的马为什么马背都是笔直的，不像唐代韩干所画之马？"赵先生答道："韩干画马，皆出自宫廷马厩所养御马，满身肥膘，显示富贵气。我画之马，则是田间耕作之马，拉车之马。脊梁骨始终是笔直的，也永远不会弯曲。"大千先生慨然说道："好！马也有宁折不弯的气质！"

罗家伦的《塞上曲》

许广华

1942年盛世才反苏反共面目彻底暴露，在投入蒋介石怀抱的过程中，作为牵线搭桥人物之一的就有罗家伦。他以国父实业考察团团长的身份多次与盛世才接触。盛的第一封万言自白书就是由罗家伦带呈蒋介石的。1943年夏罗被监察院任命为新疆监察使。盛世才1944年6月大肆逮捕国民党官员时，独有罗家伦未罹其难。

罗家伦在新疆三年期间，写了近百首诗词，收录于《西北行吟》集中。其中一首《塞上曲》，经陈德维女士谱曲后，曾传唱全国，意韵优美，转录于后：

左公柳拂玉门晓，塞上春光好。天山融雪灌田畴，大漠飞沙悬落照。沙中水草堆，好似仙人岛。过瓜田碧玉丛丛，望马群波浪涛涛。想乘槎张骞，定远班超，汉唐先烈经营早。当年是匈奴右臂，如今是欧亚孔道。经营趁早，莫让碧眼儿射西域盘雕。

古老的佛窟

贺继宏

在新疆阿图什市上阿图什乡恰克玛克河岸的峭壁上，有三个佛窟，人称“三仙洞”，这是目前所知我国保存下来的西北最古的一处洞窟。

“三仙洞”并非曾有三位仙人居住或洞内有三尊仙人像，而是因为洞分左、中、右三室而得名。洞口均呈长方形，宛若门框。中间一窟，洞口较大，高约2米，宽约1.5米；东西二窟，洞口稍小，三洞均分前后二室，前室长宽各4米，高约2.5米。后室仅为前室的一半。前后二室均为纵卷顶工式。

东侧洞室保存有珍贵的壁画和藻井，洞壁四周画有大小不等、形象各异的七十多尊佛像。顶部藻井，为一巨形莲花，中间莲籽清晰可辨，历历可数。藻井四面，各绘有五十多厘米高的坐佛一座。坐佛身披以宝蓝色、赭石色相间的方格袈裟，背后衬以菩提树叶。后室绘有一尊上身袒露、左手下垂、右手平托腹前的立佛，其下身服饰以红、蓝、绿三色相间构成。中间洞室仅留有一石胎坐佛残躯，两侧洞室已空无一物。

新疆曾是佛教胜地，佛窟甚多，此洞与著名的克孜尔千佛洞相比，规模甚小，但考其历史价值，可记者有三：

一、此洞开凿于我国汉代，比克孜尔千佛洞、敦煌莫高窟等要早几百年，是佛教初传入我国时的产物；

二、此窟内佛像的服饰以红、蓝、绿三色相间构成，这在我国发现的佛像服色上是绝无仅有的；

三、洞内壁画大部分为法国伯希和所盗窃，伯希和手刻的题名至今仍在洞壁上，留下了帝国主义对我国进行文化掠夺的罪证。

莫尔佛塔

贺继宏

在新疆阿图什市阿札克乡库木沙克村恰克玛克河边有一座古朴的佛塔，它是我国西部最古老的佛塔，当地人叫做“莫尔佛塔”。

此塔用土坯砌成，下方上圆。底座为方墩，长宽各1米，高8.4米，塔身为4.4米高的圆柱形。它具有印度古佛塔造型的特点，应该是佛教开始传入新疆时的建筑。目前这种佛塔即使在印度，也为数不多。

公元9世纪末，喀喇汗王朝王室成员皈依了伊斯兰教，宣布伊斯兰教为国教，并摧毁非伊斯兰教的宗教建筑。阿图什的古佛塔，正处于伊斯兰教活动中心，它何以能够保全，不能不说是一个谜。

1902年，阿图什发生了一次8.2级大地震，砖木结构的苏里唐麻扎在地震中倾圮。这座古佛塔，虽然半边已成空洞，底座被挖开一个三米多长的豁口，但却承受了地震的震撼，至今仍然屹立不动。

塔城之塔

蔺茂奎

西陲重镇塔城市中心，相距不远耸立着两座巍峨的宣礼塔。

一座名叫赛依提喀玛勒大毛拉礼拜寺塔，建于1915年，是乌孜别克族的赛依提喀玛勒发动各族穆斯林群众募捐修建的，由哈密维吾尔族建筑师哈米提设计监造。塔座高3米，四方形，每面有六根浮雕圆柱。塔身高20米，为八角形，每面饰有砖刻几何图形和六角星浮雕。塔顶观楼为六角形圆拱。墙和拱顶全为宝蓝色釉砖贴面，顶端矗立铁制新月。整个塔之主体用红砖清水砌筑，白灰勾缝，结构严谨，造型典雅，显示了维吾尔族古典建筑艺术的风采。

另一座叫窝依巴扎哈纳喀清真寺塔，是乌孜别克艾则孜·阿吉为首的穆斯林集资，维吾尔建筑师孜亚努东设计监造的，建于1898年。塔高25米，底座、塔身、塔顶均为八角形，塔身每面有砖刻五组浮雕，或花卉，或图案，素雅庄重，自成一格。塔顶为峻峭之三角形，颇有欧洲哥特式建筑风格印记。这是东西文化交汇点在塔城的一个历史遗迹。

伊宁会芳园

杨　尘

伊宁会芳园，即原伊犁镇总兵官廨大院，是清代伊犁最著名的园林，其名声甚至超过伊犁将军府。伊犁镇总兵驻扎于伊犁九城之一的绥定城，官廨始建于乾隆二十七年(1762)。嘉庆年间，洪亮吉在伊犁犹赞其胜，云："自嘉峪关至伊犁大城万一千里，所见园亭之胜，以绥定城总兵官廨为第一。荷池至五六处，皆飞楼杰阁绕之，老树数百株，皆百年以外物。"道光年间，林则徐同其二子专程前往绥定城赏花，亦称其地有园亭之胜。

会芳园，又称绥园，曾数易其名，然以会芳园最为驰名。洪亮吉谪戍伊犁后获赦返京前，应总兵纳尔松陌之请，为会芳园题额。题额曰"香远堂"，以应景，同时又在旁题"会芳园"，既集景又寓名人荟萃之意。

“远迈汉唐”赞西征

满族·苏家骏

新疆乌什县城西隅有一小山，因山石中多贝壳化石，形如燕翅，而以燕子山得名。其山下侧即闻名遐迩的九眼泉。山泉相映，历来为风景名胜地，游人多赋诗题字其间，而最引人注目的是：山之半途有一巨石，上题“远迈汉唐”四个大字，笔力浑厚，气势饱满。游山至此，眺远山，览近水，观题石，令人心旷神怡。

这块题石无上下落款。相传为清代同(治)光(绪)年间西征军大将刘锦棠所书。因当时阿古柏侵占新疆，清廷派左宗棠率军戡定，刘锦棠时为西宁道，应檄率老湘军马步二十四营西征。在左宗棠的运筹帷幄下，刘率部从天山以北追剿阿古柏、白彦虎乱匪至天山以南，遂于1877年(清光绪三年)秋天光复乌什县城。刘锦棠虽为武将，但颇有文才，乃书题“远迈汉唐”四字于燕子山。其语意双关，既是赞誉清军戡定阿古柏，收复新疆的赫赫战功；又有称颂燕子山历史悠久之意，而以前者文义更为贴切。但也有另说，即题石并非刘锦棠亲笔，而是清军光复乌什后，当地各族群众感戴解救之恩，请人书写刻石，以标志西征功绩。看来此说更为合乎客观情理。

开都河上的“冰桥”

王野苹

开都河上，自两汉至明、清一直无桥。河水骇浪澎湃，势如奔马，泅渡甚难。清代于夏天设大船六只、小船四只，由宁夏镇派来水手兵丁负责摆渡；冬天则必须架“冰桥”以渡。

所谓架“冰桥”，实即人工助力增厚冰层的意思。每年初冬，河面结冰，但不厚实，不宜负重。于是趁夜间温度深降时，组织人力在通道线路上轮番泼水，旋泼旋冻，几夜功夫，可使冰层增厚，达到负荷要求。人们通过此“桥”，不论骑行徒步，或轻车快马，无不从容自如。清人和宁目睹“冰桥”景观，曾赋《开都河冰桥》五律，以描述当时情景。诗云：

天造舆梁稳，春冰迨未开。
马腾银汉上，人驾玉虹来。
濡尾狐犹听，潜波鱼尚猜。
两骖忙叱驭，快似辗轻雷。

但“冰桥”承载力毕竟有限，尤其在冬春之初，汽车通过尚无法保证。斯文赫定在《马仲英逃亡记》中记述，他的考察团的汽车在 1934 年农历正月间破冰船渡过河，甚费周折。其狼狈情景，至今读来，恍如隔了几个世纪。

“左公柳”与鳝鱼

范承渠

哈密无大河，惟有天山雪水融化后出山向南即潜入地下，经数十里至哈密近郊，又成涌泉，环城流过，沟渠纵横，蜿蜒数里，称东、西河坝。河坝多柳，高十余丈，虬枝盘结，浓荫蔽日，亭亭如盖，为人们夏季避暑憩息之所。相传此即“左公柳”。

光绪六年(1880)五月初八，左宗棠自肃州(酒泉)抵达哈密，决心与沙俄摊牌。他扎营凤凰台(今名大营门)筹划军机。进军时，他对酒泉到哈密的驿道进行了整修，拓宽至三丈有奇，并在路旁栽植易活的杨柳各一二行至三四行。据当时记载的盛况是：“夹道植柳，连绵数千里，绿如帷幄。”在杨乃武与小白菜一案中被革职、后又被起用为陕甘帮办大臣的杨昌浚曾为左氏写下“新栽杨柳三千里，引得春风度玉关”的颂诗。可惜莫贺延沙碛残酷的高温和无水，早已把这些杨柳扫荡殆尽，留下的只有沿途几座驿站水塘边和哈密东、西河坝的“左公柳”了。

1931年马仲英第一次入新，围攻哈密城数月，两河坝的树木又遭砍伐。后来哈密人努力经营，二三十年内重又茂盛起来。经过大量更新、栽植和自然孳生,“左公柳”气势胜过当年,依然为哈密一大胜景。

又哈密西河坝多鳝鱼。左宗棠为荡平阿古柏之乱,于光绪二年(1876)调老湘军马、步二十四营入新。这些湖南老哥嗜鱼,遂打造木桶甚多,数千里托人肩挑来鳝鱼苗数百担,放养于哈密西河坝。乱平兵勇裁汰调遣,这些幼小鳝鱼遂为人遗忘。后均长成,当地人以为是蛇,皆畏之不食,以至大量繁衍,为哈密一大特产。抗日期间,新疆成为安全之大后方;来新人多,遂为人知,迪化显要多有托人来哈密捕捉桶装,汽车转运,以快朵颐。

访鸽子塘

宋显达

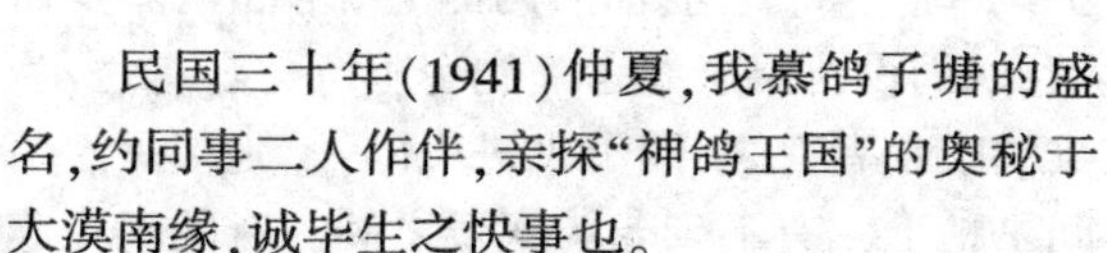

民国三十年(1941)仲夏,我慕鸽子塘的盛名,约同事二人作伴,亲探“神鸽王国”的奥秘于大漠南缘,诚毕生之快事也。

清晨从和田出发,策马西驰,一程绿野,一程沙漠。过墨玉县扎瓦乡,便进入茫茫沙海。前行不久,似有马嘶声从远处传来,抬头仰望,只见一群野鸽呼啸而至,盘旋于马前马后,时而俯冲,时而低飞,霎那间遮天蔽日,尘埃滚滚。越往前,鸽群越聚越众。我等在群鸽的护卫“导航”

下，终于到达野鸽王国的世袭领地。

鸽子塘一名沙泉子，因沙漠中有一泉眼喷水而得名。当地称之为库马提帕夏银，即腰站之意。位于墨玉县扎瓦、藏桂两乡之间，在沙丘包围之中。我等甫下坐骑，立即被黑压压的鸽群团团围困。幸吾等早有准备，携有一百多斤玉米粒，三人各向一方抛撒饲鸽。无奈“粥少僧多”，不一会便啄食净尽，鸽群又发出振耳欲聋的咕咕声，并飞落在我等头顶、肩上，不时用尖嘴啄人。正束手无策时，忽有一鸽似脱弦之箭离群向东疾飞而去，随之千鸽尾追于后。约莫二十余分钟，东路大道上传来毛驴串铃叮当声，又过了一支烟工夫，有毛驴驮队出现在视线之内。只见五名维吾尔驮户，边走边撒玉米粒。鸽群喜迎新客，我们便解围了。趁此间隙，得以观赏鸽子塘的全景。

大路正南，搭有一大间鸽棚，以胡杨木作框架，用柳条编织成墙，内外抹泥，当地人叫笆房子。鸽棚中间有门，前后两侧上端各留有不少窗洞，四周设有层层鸽舍。鸽舍里孵化者有之，为雏鸽喂食者有之，鸽子飞进飞出，煞是忙碌。中间平地上，有不少老弱病残之鸽，有的闭目养神，有的侧目观望，并无惊慌之意。有两名维吾尔老人在此看管。两老常年与野鸽为伍，闯进了野鸽群体的内部世界。我们便用维语交谈，询问一切。据告：野鸽也有七情六欲，也知母爱，求偶，择配，寻亲，育幼，求助，托雏，迁徙等等“世俗”。它们奉行从一而终的婚姻制度，一夫一妻。

一旦配偶，终身相随。在这个群体里，也有社会分工。一老者手指鸽舍上端一只雄鸽说道：这是鸽群的“帕夏”（鸽王），还有二王和三王。那只雄鸽体格较大，羽毛丰满，两眼发光，全身褐色，正在抖动翅膀。另一老者插嘴说：鸽群中有专司“迎客”的，有善于与老鹰搏斗的“敢死队”。一些无配偶的野鸽，负有扶伤、养老之责。最令人惊讶的莫过于“迎客鸽”，生就顺风耳，能在百里左右飞迎过往来客。

一眼泉在鸽子塘东南角。此地并无水井。泉水从沙包顶端冒出，有一枯树筒将泉水引入一木槽内，供路人取用和鸽群饮水。沙丘上有一座坟墓，系先前守护鸽子塘的高龄老人长眠之处。

相传乾隆年间，一支清军于进军和田途中，迷失路途，幸遇一群野鸽引路，到达一眼泉。神鸽之名来源于此。

小布达拉宫——黄庙

齐尚明

新疆喇嘛教四大庙宇之一的黄庙，坐落在和静县以北风景宜人的老巴仑台沟。规模宏伟，金碧辉煌，素有“小布达拉宫”之称。

黄庙，建于1888年，迄今已有一百零三年的历史。1770年，漂泊在伏尔加河流域又毅然回归祖国的蒙古族土尔扈特部，定居在巴仑台之后，首领渥巴锡第七代王孙尕尕王爷耗银万两，兴建了这座大寺。皆因该部信奉喇嘛教格鲁派，俗称黄教。喇嘛着黄袍，佛像披黄纱。群众名为夏热苏木，汉语即黄庙。

黄庙的兴建，使佛教活动日趋兴盛，土尔扈特部的四十多个大小部落，先后集资修庙宇，建佛台，九十多年前，巴仑台山谷竟然出现了拥有十座殿宇、经堂、佛塔、僧舍等完备的庙宇。座座寺庙依山傍水，高低错落，分布有序，构成一个规模宏伟的建筑群，占地面积二万四千平方米。黄庙是众多庙宇中的主体建筑物，似众星拱月，位于寺庙群的中心。遥望古寺，绿树环绕，古榆苍翠，杨柳依依，掩映着金顶、朱门、白塔、银墙，真是流光溢彩，相映生辉。两层大殿四方四正，巍峨庄严。整体建筑为砖木结构，重檐歇山式。殿门前，有两座银色小塔，前有青石铺垫；殿顶高耸两只镀金奔鹿，金光闪射；大殿四角高悬着龙头纹饰的铜风铃，风过丁零悦耳；殿堂内，飞檐斗拱，雕梁画栋，金碧辉煌。粗大的殿柱龙盘云漫，十三幅壁画彩色斑烂，图文并茂。画中诸佛神采飞扬，栩栩如生。佛龛上供奉的释迦牟尼、黄教创始人宗喀巴等佛铜像和前辈达赖、班禅的画像，神态各异，维妙维肖。更令人瞩目的是殿中央矗立买德尔镀金佛像，高 7 米，十分壮观。

黄庙这一古寺群的建筑，吸收了古今中外各民族建筑艺术精华。飞龙套兽的汉族斗拱，阿拉伯式的民族长廊，镏金塑像与彩绘壁画，融为

一体。

庙内建有藏经阁，藏有大批珍贵的佛经，以及佛教哲理、历法、天文、医药、朝廷册封等经典著作和重要文献，是祖国宝贵的文化遗产，惜在十年浩劫期间，计有两千卷上万册由于“扫四旧”而被焚毁，特补记一笔以存史。

道教在天池

回族·马克义

阜康天池，群山环抱，怪石嶙峋，苍松翠柏，琪花瑶草，云影波光，景色迷人。自古以来，素称“瑶池仙境”。

清代乾隆时，陕西八仙庙一位任道长，慕灵山（天山）瑶池（天池）之名，远道而来，定居于此。他食松籽，饮池水，采药炼丹，诵经坐坛，修行练功。此后大有名气，收弟子数十人，建造“八仙观”，他便成了道教在天池的第一位观主。

任道长自修建“八仙观”之后，不久去世，他的弟子将“八仙观”改修为大殿，称为“灵山神庙”。每年五月，阜康县令率民致祭，香火极盛。光绪年间，大殿坍塌，因而重新修殿三间，内供奉元始天尊、太上老君、灵宝天尊，称为“三清殿”，其大殿顶盖生铁铸瓦，俗称“铁瓦寺”。铁瓦寺所用砖瓦都由羊只通过陡坡密林，从石峡驮

运上山。后来楚军一营驻阜康，乘暇于左右伐木，凿山成路，于是进香者络绎不绝。这期间，又陆续兴建了无极观、庞真人祠等，使天池成为塞外的道教胜地。民初兵连祸结，这里也大遭兵燹，铁瓦寺等一批寺观被乱匪烧毁。

杨增新时期，重视和支持道教。杨飞霞任伊犁镇守使，笃信道教，弃官出家。经杨增新同意向迪化各界人士募捐，重修福寿寺。杨飞霞在天池兴修庙宇的两年中，经细心查勘，精密筹划，修建了“八卦亭”和他的“行宫”，准备终老于此。后来，杨增新被谋杀，新疆政局巨变，杨飞霞也改变初衷，携眷离天池，返回云南。

1933 年春，马仲英下属叶指挥从米泉窜入阜康，煽惑回民攻县城。周镇丰县长为保城安民，便投降议和，由叶派冶春华领兵上天池福寿寺招抚一百四十多名避难群众。避难者发生误会，开枪自卫，激怒了叶，即令士兵开枪攻寺，经陪同前往的农官张存的解说，避难者弃械受抚。冶撤退时，余恨未消，将福寿寺举火焚毁。

福寿寺众道徒，重整旗鼓，四处化缘，自耕种粮，采集木料，经过三年的准备，于 1937 年又从废址上建起大庙。因庙脊以木代瓦，廊下精工雕刻，大柱耸立，但未能上漆画彩，竟成“白庙”一座，人们称之为“木瓦寺”。

1946 年 8 月，南京国民政府监察院长于右任上天池游览，先派一个团的军队修路架桥，雇用十余名维吾尔族木工，将福寿寺进行维修，换地板,装顶棚,临时改为招待处,供于院长及陪同人员下榻。于院长观赏福寿寺,兴趣浓厚,和道长朱成发畅谈中,提到:“福寿寺为何供道家神像?”朱支吾其词,避而不答。于说:“乘今日之兴,将此庙改为道家之名称如何?”即提笔大书四字——灵山道观。

丝绸之路今拾遗

吴　凯

古代沟通中西的丝绸之路,从西安到达敦煌后即分为南北二道。南道经若羌、于阗、叶城一线西出明铁盖隘口,运销商品于今印度、阿富汗、伊朗及其以西地区。但这一路线比较迂回,有些怀着探险兴趣的商旅们,一直在寻找一条捷径,以减轻长途跋涉之苦。后来证实,冒险家们从南道中段翻越昆仑山的梦想终于实现。甚至可以断定,在这条捷径上,距今一百年前后还有一支不小的商队从这条“死亡峡谷”中穿越。一次偶然的机遇,我亲历了这条秘密商道最险要的地段。

这条南道捷径的起点,是在和田至叶城之间的皮山县东南八十公里的桑株镇。这里设有海关检查所。从桑株镇启程,沿喀喇喀什河谷上溯八十公里,就到了该河的源头。由此翻越昆仑山海拔5200米的曲格达克冰达坂,再前进几十公里,就到了赛图拉。此间距皮山县城有260余公里。续往南走15公里,就是三十里营房(苏盖提营房),40年代驻有国民党骑兵部队的一个边防连。营房西端有一条极深极险的峡谷,骑马沿沟走三天就能到达喀喇昆仑山口和因地拉科里山口。穿过山口就进入克什米尔地界了。从地理方位看,这条捷径比绕道喀什翻越葱岭(明铁盖达坂)至少要缩短500公里,但其艰险程度也将增加一倍,甚至要付出死亡的代价。

峡谷宽不过30米,两边崖壁似刀劈一般,且向外倾斜,垂直高度在百米以上,左右两壁几乎合在一起,只能见到一线天色。我进入峡谷,只见马、骆驼、牦牛的骨架和人的骷髅、白骨散布在崎岖的山谷小道上,还有数不清的大捆小捆的货包,以及马、驼货架。这些货包用粗麻布包皮,用皮条捆绑。因年深日久,货包四周及两端都已被风雪腐蚀,但层层剥去,还能见到整匹毛呢和印染花布。有的尚未褪色,有些花卉图案尚清晰如初。从一线天再往前行,堆堆白骨和横七竖八的货包,挡住了去路,且阴森恐怖,霉味甚浓。

从已敞开的货包看,毛呢花布的品类、质地,决非国内所产,全系国外运来。至于那些死亡的商贩们,很难辨认其国籍。但从遗骸及货物的成色上辨认判断,这是距今百年左右在这条“死亡峡谷”中遭难的最后一支商队。

驼 轿

宋显达

三四十年代，我客居和田，常听人提及驼轿这种代步工具。据说出国经商、求学、朝圣，或绕道西伯利亚去北京，大都雇乘驼轿代步，到边境小城乌恰出境。虽说其价昂贵，但越戈壁、过沙海、涉水渡河，尽可端坐驼轿之中，免受跋涉之苦。因和田闭塞，故只闻驼轿之名而未睹其实。

民国三十五年(1946)中秋节过后，我随和田县斯马瓦提村库尔班的驮队顺和田河古道去库车，在途中有幸目睹驼轿的"庐山真面目"，也算是开了眼界。

由和田出发，顺和田河由南向北穿越五百多公里的塔克拉玛干大沙漠腹地，到库车约需半月，到阿克苏只用九天。驮队在大漠中行进到第六天中午，遇到从库车南下的一支骆驼队，其中就有一顶驼轿。

驼轿结构简单，底部形同担架，与四川滑竿也大体相似。有两根柳木作架，三根龙骨作纬，用细柳条编织成席，上铺被褥。轿子四周用粗柳条弯成拱形，上顶及前后左右围以白色毡子，酷似白色圆顶小屋。前面留有门洞，供人出入，悬

有毡帘，平时卷起，遇有风暴，放下毡帘便可挡风遮阳。由两峰骆驼一前一后架起轿身行进，骆驼举步稳健，人在轿中坐卧均极舒适。不用人之肩，而借驼之力，这倒是一大优势。

后读谢彬所著《新疆游记》，他对驼轿亦有记载。作者在 1917 年 9 月 27 日的日记中写道："自奇台赴阿尔泰，向无车路，长途戈壁，马行又难运料，故往返斯途，皆赖驼行……驼轿，一驼二轿，状如驮货，人坐其中，摇而且闷。"后又续写："自奇台以来，皆驼轿，驼步远簸，至足闷人，欲易以骑。"可见南北疆的驼轿，并非同一模式。南疆两驼一轿，坐卧舒适；北疆一驼两轿，摇簸闷人。一南一北，各异其趣。

阑　干

柴恒森

民国三十五年(1946)初，我经新疆省政府张治中兼主席任命为喀什副专员，襄助专员阿不都克日木·买合苏木工作。一次，我陪同阿专员视察疏附县，途经城西四十里阑干时，曾在阑干果园稍事休息。此园原系杨增新时期喀什提督马福兴的别墅，马被杀后，落入喀什道尹马绍武之手。园内遍植桃、杏、梨、石榴、葡萄、樱桃等多种果树。各种果树自成一方阵，间有灌木丛或乔木相隔，以防串种，占地千余亩。入春后，繁花似锦，芳香四溢，桃花落，梨花白，樱桃显红，杏树挂果，花期绵延数月。园内流水潺潺，绿树掩映。进得园去，颇有武陵人误入桃花源之感。由此，我对阑干这一地名发生浓厚兴趣。

疏勒县相邻的英吉沙县，阑干的地名一线相连，有玉代克阑干，必格尔满阑干，土打阿訇阑干。既似村落，又像驿站。后读岑参《白雪歌送武判官归京》一诗，有“瀚海栏干百丈冰，愁云惨淡万里凝”诗句。其中“栏干”二字，究应作何解释，百索不得其解。如系驿站，维吾尔语为“乌台”，发音不相吻合。谢彬《新疆游记》中也曾多处提及夜宿“栏干”，但未作考证。后读林则徐谪戍新疆时所作《回疆竹枝词》二十四首，其中一首：“荒程迢递阻沙滩，暑月征途欲息难，却赖回官安亮噶，华人错唤作阑干。”才豁然明白。原来阑干就是亮噶的转音，驿站也，以一驿站为一村，于是阑干相连，名称却不相同。

从唐代岑参的“瀚海栏干百丈冰”到林则徐的“华人错唤作阑干”，历时一千二百多年至今仍在沿用，可谓渊源久远。

巴什拜大桥

蔺茂奎

民国三十年(1941)春,横贯塔(城)额(敏)盆地的额敏河水势暴涨,塔城、裕民两县交通断绝。来往商旅农牧民咫尺天涯,愁肠百结,无可奈何,只得露宿两岸,等水落后再徒涉而过。

裕民县曼别特部落富牧巴什拜·楚拉克,目睹百姓行旅艰困,就向塔城行政长赵剑峰请示,由他个人捐资修建一座大桥,便利两县交通。巴什拜自 1919 年开始经营牧业,重视管理,并率先引进苏联优良牲畜品种和科学培育技术,凭借巴尔鲁克山和库鲁斯台草原水草丰茂的优良条件,畜群大蕃,难计其数,成为塔城地区首富。1940 年为抗日募捐时,他慨然献马五百匹。

赵剑峰对巴什拜体谅政府财力拮据,热心地方公益的义举极为嘉许,指令塔城县长李伟为建桥组长,裕民县长赵耐成和巴什拜同为副组长,共商建桥大计。巴什拜售羊一千余只,出资三万多元,作工程经费。

大桥于当年 9 月 1 日动工,从苏联聘请来两位工程师负责测量、设计、施工指导。桥为木结构,全长 87 米,宽 6 米,载重量 25 吨,设计使用寿命二十年。翌年 10 月竣工。在各族人民的一致倡议下，该桥命名为“巴什拜大桥”。从此“天堑变通途”，南来北往，畅通无阻。

石头杉林

崔淑芳

当你骑着骏马从巴音布鲁克乡出发向西行进，经过一百三十多公里的长途跋涉，登上三千多米高度的奎克乌苏风雪大坂，便遥见一片郁郁苍苍的原始森林，浸沐在云雾之中。待到策马走近它时，你非咋舌惊讶不可，原来展现在你眼前竟是大片似树却不是树的奇异景观——石林。蒙古族人把此地称为“哈拉尕查困尔”，译成汉语即是石头杉林。

石林长约 9 公里，宽约 5 公里，可见厚度 150 米，形成石林的相对高度 30 米左右，而最低的只有二三米。它是由半胶结的沙砾岩层风化而成的，经大自然百万年的鬼斧神工，在深山里造化出了这片稀有的独特园林。

石林，葱葱茏茏，冬夏常青。千株万棵，姿态不同，造型各异，情趣别致。有的峭拔挺立，直干云霄；有的如人如兽，似蹲踞，似伏卧，似拥抱，似行走，栩栩如生；有的宛似一座座古城堡，高矮参差，重叠错落，雄浑肃穆；有的似千年石树，枝杈旁逸斜出，搭肩挽臂，架起天桥；有的似刀

枪剑戟,直刺蓝天;还有的其上布满大大小小的洞窟,犹如人工精心雕刻而成。

石林虽是石质的,但色泽却不单调。在这里,不乏姹紫嫣红的山花与碧莹莹的小草,也不乏古藤缠绕,苔藓铺地,为石林增添了浓郁的春色。靠近雪线之处,更有大朵大朵冰肌玉骨的雪莲迎着风寒盛开怒放,使在风暴中枝不折、叶不落的石林泛溢出生命之光。

石林虽处于幽深的崇山峻岭里,但有许多动物常在这片神奇的国土上漫游,特别是大头羊成群成群地出没于林间,俊俏的幼鹿还在泉边顾影自怜。更有数不清的溪涧和瀑布,它们或低吟漫唱,或弹琴击鼓,日夜演奏乐章,为石林增添了无限的情趣。

天鹅湖

崔淑芳

天鹅湖坐落于和靖县(今和静)巴音布鲁克草原的中心地带,这里正是享有草原翠珠之称的大珠勒都斯盆地,海拔在2500米以上,年平均气温摄氏零下四点七度,即使是酷暑季节也很凉爽,纯属高寒山区。驻足湖畔,极目远眺,水域广阔,湖水清澈。据勘测东西长30公里,南北宽10公里。在阳光下,天鹅游弋,水鸟唱和,更增无限情趣。湖中还有不少小岛,片片绿草,郁郁葱葱,故人们又称此湖为“岛湖”;四周高山雪顶银冠,巍然耸立,犹如不可逾越的屏障,拱卫着一片圣洁的地方,将天鹅湖与尘世隔绝开来。人在其中,似乎也抖掉了一身尘俗,融合于这波光山色之中了。怪不得气质高洁的天鹅把这里选为自己的国土呢!

每到春天,水域解冻,上万的天鹅与其他七十余种禽鸟从印度、非洲等地起程,越过千山万水回到生养它们的故土上来。全国四大天鹅中,有三种即大天鹅、小天鹅、疣鼻天鹅都在这里出现。

天鹅在此地居留期约八个月。蒙古族人民称它们为吉祥鸟,不许射猎;还叫它们为贞洁鸟,这是它们对爱情忠贞不渝而得的美名。

每年五月为天鹅交配期。经春夏繁育幼鸟之后,天鹅们于九月集结,最大的群集超过千只,到十一月南徙。这时,当年的子鹅体重已达十公斤左右,就可跟随父母比翼齐飞了。也有一些天鹅仍留在这里过冬,这是因为水域由山泉汇聚而成,从不结冰,即在寒冬,依然清水潺潺,云蒸霞蔚。

戈壁蝉鸣

阎又春

提起蝉，生活在炎热的南方的人都知道这是夏季午间爬在树上鸣叫的一种昆虫——知了。奇怪的是，在新疆的居民区，几乎听不到这种声音，但听不到不等于没有。在洪水冲积扇的新农业区交接带，则常常出现另一种情景：知了连续的鸣声不绝于耳，在黄花盛开的锦鸡儿灌丛上，落满了知了，在空中亦可见飞舞的知了。其数量之大，远远超过南方，使寂静的戈壁显现出一片生气。生活在内地的人可能要问，新疆的知了就那么通人性，不在居民区鸣叫而专在戈壁荒漠或农田间鸣叫，不影响夏季中午人们的休息？说来也怪，新疆境内的知了就是不在居民区鸣叫，到过新疆的人，大多能以亲身经历证明这一点。

新疆境内的蝉为何专在戈壁滩鸣叫呢？据当地的昆虫学家解释说，在世界上，蝉有五科一万种以上，我国不少于五十种，而在新疆目前已发现了三种，其中戈壁蝉要比内地的蝉大得多，它们在我国仅分布于新疆，与内地蝉种不同。

盘羊跳崖

阎又春

在人烟稀少的帕米尔高原，在天山深处的荒山野岭，人们时常可以发现吃饱喝足的盘羊进行特技表演——这就是当地人常说的“盘羊跳崖”。

盘羊，又叫大角羊，塔吉克牧民称为白羊，因为这些体大如驴的盘羊一般毛色发白。欧洲人叫做马可·波罗羊。七百年前，欧洲探险家马可·波罗来到中国，当他经过帕米尔高原时，看到了这种体大如驴的盘羊，非常喜爱。回国后，便把这种动物向人们介绍，欧洲人便把这盘羊命名为“马可·波罗羊”。

盘羊吃饱喝足后便群聚在约20米高的悬崖顶上，一只跟一只头向下地跳下崖去，很像是集体自杀。但是过了不久，人们又惊奇地发现，盘羊又一只接一只地返回崖顶，重复跳崖动作。原来这些盘羊并非集体自杀，而是在进行一种特殊的体育活动，人们称这种特技表演为盘羊的自卫训练。因盘羊经常遭到雪豹和恶狼的袭击，加强这种跳崖训练，便有利于摆脱敌人，保护自己。

戈壁铃响驴帮来

阎又春　宋显达

在新疆的广大农村，毛驴比比皆是，随处可见，称之为毛驴王国亦毫不夸张。新疆的骆驼不少，对于驼铃声人们是熟悉的。然而，戈壁铃响并非都是驼铃声，昔日丝绸古道驼铃声已日益被毛驴的铃声所代替。

可能是因为毛驴矮小孱弱，在历史上不曾有什么惊天动地的作为，或许是柳宗元笔下的那头外强中干的黔驴益发败坏了同类的声誉，毛驴在内地人的心目中向来极少有好的席位，不过是用来拉碾推磨，给婆娘娃娃搭腿而已。但是在新疆，毛驴却有极其辉煌的历史。这并不是说新疆的毛驴因作过阿凡提的坐骑而受人尊敬，事实上，毛驴无论今昔，都是当地少数民族的生产力的一个重要部分。人们走亲访友，拉犁驾辕，运麦打场，送肥进田，全都由毛驴承担，故南疆乡村家家喂驴，也属“世袭”。

和田在历史上是丝绸之路的重镇，东翼洛浦，西翼墨玉，相距二三十公里。40年代初，三县居民约三十万人，各县手工业相当发达，纺织、缫丝、玉雕、采金等行业颇具规模。沿和田河南岸的绿色通道，直达塔里木北部的阿克苏等地，久负盛名的和田土特产，招来各地商旅，成为贸易中转站，驴是主要的运输工具。那时三县约有驴二三千头，由脚行包揽货运，负重的驴常年累月穿越塔克拉玛干大沙漠，可与“沙漠之舟”的骆驼媲美。

新疆的毛驴颇通人性。如几个毛驴车在夜间或白天向某一目的地进发，尽管主人在车上睡大觉，毛驴也会照路前行，不往机动车道上窜。再如，主人到戈壁滩上打柴，当打完柴回家时，主人可放心地在毛驴车上睡觉，毛驴会照来时的路一直把车拉到家中。

与内地的毛驴不同，新疆的毛驴短小精悍，耐使役，善跋涉，且又富于一种愚蠢的机敏和善良的狡黠，因此很受人们的欢迎。新疆毛驴骑乘起来也非常宜人。常言道：“驴骑后，马骑前，骆驼骑在当腰间。”新疆的农牧民骑乘毛驴几乎都是坐在驴屁股蛋上，斜倚身，耷拉腿，显得十分潇洒自如。

人们往往给跋涉在沙漠中的骆驼系上一个大桶铃，那桶铃发出的“咚当、咚当”声倒也雄浑壮阔。在新疆，人们也喜欢在毛驴的头上或脖子上系驴铃。驴铃有梆子的，也有钟子的。所谓“梆子”，是用铁皮做一扁长形的铃桶，坠以木头做的黄瓜型的铃芯，摇起来声音沉闷而悠长；所谓“钟子”，即用生铜铸成钟形的铃桶，坠以铁蛋做铃芯，摇起来叮当叮当。以上两种铃声都能起到向路人传递信息或驴群前行时壮大声势等作用，实际上也是主人爱护毛驴的一种表现形式。

蒲类养马业

朱云岳

巴里坤(古称蒲类)养马历史悠久,是西域贡马基地之一。清廷对养马业采取核定繁殖基数,定额上调服役马群,加快畜群增殖的制度。乾隆二十六年(1761),清廷已在巴里坤设有孳生马厂,辖有东厂(巴里坤)、西厂(奇台),三厂(木垒)三个繁育马厂,各有马九千匹。嘉庆时,马厂实行“均齐”制,三年一均,确定基数及分成。均齐二次,准予挑变一次,挑变规定百匹准予倒毙六匹。道光三年(1823),巴里坤总兵张拱辰,监督不严,亏空马匹,被革职拿问。后张拱辰自缢身亡。推行“均齐”制后，因奖惩严格，各厂精心经管放牧，马群大增。同治初，仅巴里坤马厂就有马一万八千匹。宣统三年(1911)，巴里坤孳生马厂改为马政局，清廷派曾坤拉管理，配有专职委员技师、牧长。新疆巡抚袁大化还拟定了《巴里坤马厂改良办法》，分管理、改种、杜弊、取孳、倒毙、薪饷、均齐、分群、水草及公费等十项制度。其中如四季轮牧，都有固定时间和草场，沿袭至今。但由于战祸频仍，马厂管理日趋松弛，到杨增新主政时，巴里坤、吉木萨尔两大马厂早已陷入困境，最后不得不发包给蒙古部落承牧。

清代新疆的妇女巴扎

李吟屏

新疆的巴扎(集市)，犹如内地的集、墟，历来十分活跃，最奇特的要算清代的妇女巴扎。

今喀什市郊的阿帕克霍加麻扎（坟墓)，许多人根据清代文人编写的容妃故事，误称香妃墓。过去当地迷信的群众认为香妃墓“甚著灵异”，于是一种特殊的妇女巴扎应运而生。19世纪中叶，喀什民间维吾尔族妇女“约于庙前新开八杂(巴扎)，以添热闹”。清一色的妇女巴扎，排在喀什回城巴扎日之后的第二天，七日一轮，非常正规。在这个妇女巴扎上，除一般交易外，还有祈愿活动。"凡妇人求子，女子择婿，或夫妇不睦者，皆于巴扎日虔诚祈祷。其俗不用香烛祭品之类，只手捧门锁，尽情一哭，并取庙旁净土少许携归，调水饮之"。清代诗人萧雄有诗专咏此事："庙貌巍峨水绕廊，纷纷女伴谒香娘。抒诚泣捧金蟾锁，密祷心中愿未偿。"

锡伯族的农业互助

锡伯族·兀和祖

1881年，沙俄占领军撤出伊犁，锡伯营山地大片农田因原农户四处逃散成为荒地。经锡伯营总管色布希贤报请伊犁将军金顺批准，分给锡伯营八旗耕种。所谓"山地农田"，指的是察布查尔大渠以南至乌孙山脚下靠雪水灌溉的三十多万亩山坡地。该地段东西长40公里，南北近20公里，北面靠山土层单薄，多为沙石，越往下土质越肥沃。由于雪水有限，只能在其三分之一土地上进行轮作。

当时锡伯营辖八个牛录，每个牛录分得六七千亩，每家农户分到五十亩。由于山地农田每年耕种要看山雪多少，因而或东或西，今北明南，没有固定居民点和井口。如离牛录远，山水一下来势如猛兽，一家一户无法耕种。

于是，每年大年一过，各牛录农户，自愿组成互助组，称为“奥恩”。每奥恩有十来户农民，他们推选经验丰富的农民为组长，叫做“奥恩巴士”。这样的奥恩每牛录多到十来个，少则七八个。每户出劳动力一人，马犁或牛犁一对，交给奥恩。口粮、食油、草料自备。小麦种籽(山地只种小麦)由牛录档房义仓发给奥恩，每份两戽半(二百斤)，秋收后收回三百斤。多收的粮食作为牛录公务资金。奥恩内劳动力严格记工分，作为秋后分粮的依据。

正月中旬，奥恩巴士骑马上山考查雪情，按雪的大小，决定今年耕种地带。正月底，他率领几个小伙子，骑马到今年耕种的地带埋雪。他们找一个凹地，将附近的雪堆积其中，上盖前几年留下的麦草，再盖上一层土。这种雪堆就成为春耕时人畜饮用的水源，因为山水要到农历四月才下来。

农历二月初，各个奥恩全部出动，抢墒播种。十来天，六七百亩大片土地就种完了。

农历四月，山水一下来，浇水期就开始了。每个奥恩二十多天轮到一次水，为期三天。每年若能浇上三次水，丰收就有把握。

农历六月，各奥恩全部动员收割打场，所收小麦在场上堆积如山。在全体成员参加下，首先给奥恩巴士分一年预定的报酬粮，然后按工分的多少分粮给埋雪、打地窝子、挖渠、做饭、浇水、看守以及其他杂活的零工。再抽出给牛录义

仓的粮，其余的粮食就平分给各户，多的可分得百斛(每斛八十斤)以上，少则七八十斛。

锡伯族这种自发组织的互助组，一直延续到解放后农业互助合作时期才解散。

"铁畜制"

王野苹

民初，土尔扈特南部落有三十二个喇嘛昭，各昭都饲养大批牲畜。卓里克图汗布彦蒙库任扎萨克盟长兼蒙古骑兵团统领时，将全盟的好马大多选拔归巴仑旗的喇嘛昭管理饲养，喇嘛昭的牲畜又全发给牧民承牧。其办法是：成畜保本，孳生的仔畜喇嘛昭和牧民按二八分成，放牧费用自理，损耗的马匹，由牧民所得的仔畜内抵补，即使遭受天灾，成畜数量一匹也不得减少。此种承包办法当时叫"铁畜制"。由于巴音布鲁克草原水草丰盛，使三十二个喇嘛昭六畜兴旺。当时有首民谣说道："巴仑旗的马，察腾旗的羊，多乃尔的犏牛赛大象。"

一次，杨增新破例到哈密督察防务。在检阅蒙古族骑兵团时，看到蒙古骑兵人强马壮，十分满意，并向接任蒙古骑兵团统领的多布栋策楞车敏询问，蒙古部落用何方法饲养牲畜，多布栋即向杨增新详细介绍了"铁畜制"，杨感到承包

办法极好。当时，吉木萨尔、巴里坤有两个军马厂，因系官办，经营不善，以至马匹倒毙，财务亏损。杨增新虽采取重奖重罚，软硬兼施的种种措施，终因积弊已深，仍无起色。杨增新听了“铁畜制”的介绍后，当时对多布栋提出用同样的办法，将两厂的全部官马承包给旧土尔扈特部经营。为使牧民有利可图，将分成比例改为每百匹官马每年只交仔马十匹，其余归承包一方所得。杨增新认为“铁畜制”既能保住现有马群，每年净得二百四十多匹仔畜，还免去财政上的支出，多布栋当然乐于接受。当年冬季，吉木萨尔、巴里坤两厂的二千四百七十二匹官马，就在巴音布鲁克草原上落户了。

玉山巴依的皮革厂

维吾尔族·克里木

19世纪末到20世纪初，新疆最大的民族资本家兼大牧主木沙巴依（巴依即富翁、财主之意）的两个儿子玉山和巴吾东继承父业经营工商业和畜牧业。他们把北疆的货物推销到南疆，又把南疆的货物推销到北疆；他们收购土特产品卖给外国商人，又把洋货运销各地。

当时南北疆的主要市场垄断在俄、英、法商人手里。不平等的《中俄伊犁条约》签定后，俄国商人在新疆经商有不纳税的特权，英国商人也借口“权利均等，利益均沾”，同样得到不纳税的特权。特别是英国商人从其当时的殖民地印度向新疆市场大量倾销工业品，同时低价掠夺工业原料。英国商人在同俄国、法国商人及地方商人的竞争中，采取赊账计息的办法。这个办法对资本有限的地方商人很有吸引力，纷纷向英商赊购洋货推销。实质上，英商在贸易上捞一把的同时，又放高利贷再捞一把，一举两得，对地方商人敲骨吸髓。

玉山巴依和巴吾东巴依向英商赊购商品推销，最后发现自己从事的是蚀本生意，只得将南疆喀什、和田、库车等地企业全部赔给英国商人，退回北疆。

他们体会到，用手工制作的土货同机器制造的洋货竞争是必然要失败的，于是兄弟二人决心开办机械工厂。他们于 1907 年将一万张羊皮运往德国，换回一百二十马力的锅炉，七十五马力的发电机各一部，制革机器一套。他们把这些机器从德国用火车运到莫斯科，又从莫斯科用汽车运到阿拉木图。可当时阿拉木图到伊犁没有公路，汽车不通，只好在阿拉木图请木匠制作能套十二头牛的四轮大型木头牛拉车，花费了三个月的时间，运到伊犁。于 1908 年招工三百余人，开始用机器进行皮革生产，这就是新疆第一家机械化私营企业——木沙巴也夫家族的伊犁皮革厂。

阿图什商人

邓　波　维吾尔族·乃苏
如拉·阿不来都
维吾尔族·玉素甫　唐尚忠 译

阿图什是新疆西南部的一个小县城，地处战略要冲；但土地贫瘠多砂，水源不足，资源贫乏。正是这种客观条件，使阿图什人不得不另找出路，其中不乏经商者。根据考证，二三百年来，外出经商的达六十五万之众。

新疆著名的民族资本家木沙巴依，就出生于阿图什。他早年出国留学，眼界开阔，思路敏捷，即选择了经商之道，为新疆繁荣服务。起先用皮毛、肠衣与俄商交换日用百货，进而换回卡车搞运输；随后又与印度、阿富汗等国巨商建立贸易关系。他的经营网点遍布境内外，成为木沙巴依家族财团的奠基者。

木沙巴依的后裔玉山巴依仍继承祖业经商。19世纪他来到伊犁，经营丝绸、布匹、皮毛，后又兼营畜牧业，成为伊犁地区最富有的商人。

光绪末年，新疆推行"新政"，奖励实业。宣统二年(1910)在伊犁将军广福支持下，玉山巴依以三十万两银子兴办伊犁皮革厂。由于受英

俄厂商的竞争排挤，皮革厂停产了。玉山巴依多么渴望能有一个强盛的中国。

清末“推行新政”兴办教育，玉山巴依对集资办学十分热心，先后捐银千两以上，受到清政府的嘉奖。1912 年 1 月 7 日伊犁爆发民主革命，玉山巴依积极捐献支援革命。

玉山巴依平时与他聘请的汉族员工团结甚好。他的商号名称“福盛行”，就用汉字书写，寓有福寿兴盛的意思。他的民族团结意识及爱国精神的确是难能可贵的。

库车刀剪

裴孝曾

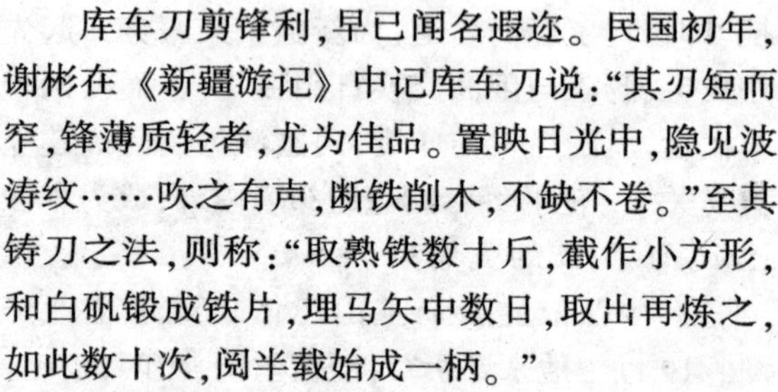

库车刀剪锋利，早已闻名遐迩。民国初年，谢彬在《新疆游记》中记库车刀说：“其刃短而窄，锋薄质轻者，尤为佳品。置映日光中，隐见波涛纹……吹之有声，断铁削木，不缺不卷。”至其铸刀之法，则称：“取熟铁数十斤，截作小方形，和白矾锻成铁片，埋马矢中数日，取出再炼之，如此数十次，阅半载始成一柄。”

库车刀剪工艺创始人为约力达西，原籍阿克苏，自幼拜师学艺。二十岁时，因修阿克苏城不堪苦役，逃来库车，以制造刀剪为业，后成为清末全疆著名的刀剪艺人。他锻制的刀剪，以柳叶为记,或刻有巨龙。有时专造款式新颖、美观大方、晶光莹莹、轻柔锋利的战刀和宝刀。

光绪年间，约力达西应宫廷之命，按照图样,给皇宫专门制做一批刀剪,并做“七星剑”、“春秋刀”各一把,进贡皇上。皇上特赏他两块金牌和一纸褒奖圣谕。

约力达西无儿,七十一岁时收尼牙孜·司的拉木为徒,后以女妻之,精心传授技艺,其婿遂继承柳叶标记。1942年,尼牙孜·司的拉木在全省手工业观摩会上进行表演,艺冠全疆。

喀什的首饰业

刘学杰

维吾尔族是爱美的民族，尤其是妇女有很高的审美修养。

在维吾尔族妇女的装饰品中，首饰是必不可少的。从发夹、耳坠、耳环、领花、项链到手镯、戒指,无一不备。再配以飘逸的衣裙和得体的短外套,她们更显得雍容华贵,高雅大方。

正因为维吾尔族妇女酷爱饰物，喀什古城的首饰业蒸蒸日上,到本世纪40年代,形成独具一格的民族手工艺。其熔炼技术之高,坩埚应用之广,铸模雕花之细,抛光工艺之神,都达到空前的高水平。来自中、南亚的客商,一直把喀

什的首饰当做最佳商品收购出境，并将各种天然和人工晶石由印度等地贩运入境。

据史料记载，早在公元10世纪，妇女们就大兴首饰风，有“穿衣披金挂银不缺一耳”的谚语。从出土文物观察，那时的冶炼已初具规模。著名的意大利旅行家马可·波罗进入西域时，对喀什的首饰爱不释手，用随身所带的西洋货换了几件带到中原，令内地人大开眼界。

喀什的首饰品种齐全，花色各异，如耳坠就有十来种，其中十四颗宝石耳坠最为精致，爪、托、座均属精雕细刻。戒指有千千子、曼曲子等品种，有纯金或纯银，有的镶嵌以宝石、变色石、钻石、猫儿眼、琥珀、翡翠、玛瑙等天然晶石，造型别致，纹路清晰，色彩艳丽，工艺精湛。

维吾尔族妇女对红色晶石最为欣赏，尤以玛瑙红特受青睐。

值得一提的是维吾尔妇女对价格昂贵的饰物十分珍惜，只是在婚姻喜庆或重大节日佩带一番，平时就用仿金镶嵌非天然晶石的首饰。这些做工精巧价格便宜的耳坠、戒指等，能起到以假乱真的作用。

帽子巴扎

刘学杰　维吾尔族·艾克拜尔

男戴花帽女披纱，这是维吾尔族最具特色的服饰。就帽而言，冬春戴皮帽，风度翩翩；夏秋戴花帽，潇洒奔放。一年四季不离帽，装饰和实用兼而有之。即使热天沐浴，也不摘帽。平时人们发生口角乃至殴斗，不慎将帽摔落，或者戴歪，殴斗双方均自动暂停，各自整冠之后再继续“较量”。其爱帽心态可见一斑。

古城喀什，有一条帽铺长廊，俗称“帽子巴扎”。相传两千年前古疏勒皇宫大门两侧就有不少制帽作坊。这个名叫吾达力的地方，虽经无数次战火的洗劫，帽铺长廊却奇迹般地越发扩展，到20年代，这条长廊扩展成了帽市长街。

喀什的帽子种类繁多，造型新颖，工艺精细，花纹多变。其造型可以追溯至元代的“六瓣金缝小帽”，又不断融合中亚的帽式和工艺，演变成千姿百态、五彩缤纷的喀什帽式，形成一种追求美化生活的服饰文化。

在多品种的花帽中，较普遍的为曲曼花帽，又名曲曼塔什干花帽，绿底白花，素净淡雅。它以米字为骨架，奇曼古丽花枝叶交错，花纹以枝干连结或用丝线分隔，成多个正反三角、菱形格

局，用冰裂纹或点线绣底纹与主花相映衬，装饰效果十分强烈；巴旦花帽，有三种款式：曲曲尔巴旦花帽、托巴旦花帽、矾公里巴旦花帽，它绣有巴旦木核的变形和添加花纹的图案，其纹样姿态多式多样，活泼典雅；曼甫花帽，帽顶绣有圆形图纹，图案用各色丝线绣织，醒目大方；格来木花帽，似地毯绒面，密密麻麻地绣着色彩艳丽的花卉和几何图形；玛尔江花帽，为小女孩所宠爱。帽上用各色小珍珠、珠亮片镶缀成多种图案，犹如晶莹露珠的一朵鲜花；翟尔花帽，立体图案，斑斓绚丽，为姑娘、少妇们所喜爱。还有一种最为常见的小白帽，用漂白布缝制，用黑线和彩线缀有几朵小花，给人以小巧、清爽、凉快的感觉。其它如散兰帽、网帽、太提拉花帽、阿勒屯喀达克花帽等，风格各异，均有各自的爱好者。

“弹勒派克”——小花帽

李吟屏

凡到过于田县的外地人，无不对该县维吾尔族妇女头上戴的羊羔皮小帽，产生浓厚兴趣，而欲知其来历。

访之民间，始知这种像倒扣酒杯似的羔皮小帽，并无任何典故，它完全是随着社会经济的发展和人们审美观点的变化而自然出现的产物，其兴起只是近、现代的事。

20世纪以前，于田维吾尔族妇女就兴戴羔皮帽，维语叫做“弹勒派克”，大可容人头，样式与现今的小皮帽一样。从考古发现来看，只能产生于10世纪以后。自20世纪初叶起，羔皮帽日渐缩小，到40年代中，已具现有的体积(顶径约5厘米，口径约10厘米)，完全成为别在头巾上的一种装饰品。

在习惯上，只有已嫁的中年以上妇女才戴这种小皮帽，未婚少女并不以此为装饰品。

大概是受到邻县的影响，在民丰、且末、策勒等县也偶见这种小皮帽，但策勒县的小皮帽较于田县的稍大。

罗焕章与阜康烧酒

路　文

阜康白酒，始酿于清道光二十二年(1842)。由于当地盛产高粱，原料充足，加上销路畅通，因而酒业发展较快。到民国二十七年(1938)，全县有酒坊五家，年产白酒十七万公斤，不仅运销新疆、甘肃各地，而且远销蒙古等处。其中以罗家酒坊所产白酒为上品。

1910年，李运在阜康九运街东门建立烧酒坊，此处位于天池水经流区，井水甘甜清冽，适于酿酒。1915年,李运将酒坊转让于罗焕章,从此人们称罗家酒坊。罗焕章接此酒坊后,积极经营,扩大生产,并聘请能工巧匠,致力于技术改革。严格按照酿酒师傅的要求,做到人精、粮纯、水甘、曲实、器洁、窑湿、火缓,使白酒质量达到了新的高度。其产品色泽晶莹清亮,香气浓郁,甘醇爽口。当时有民谣云"阜康有三怪:烧酒、辣子、偷马贼",而以白酒质量为怪首。据说军阀盛世才的岳父邱宗浚举行宴会,非用阜康罗家酒不可。白酒产量也在逐步提高。1937年罗家酒坊产白酒7万公斤,占全县白酒产量的41%。

罗焕章,1890年生于阜康,从事酿酒业达三十二年之久,到1947年因年老体弱,将酒坊交给别人经营。他对阜康酿酒的贡献,是值得称道和让人怀念的。

阿山菜羊进京来

张成质

"羊肉何处嫩,要数东来顺。"

"金九银九涮肉香,阿山菜羊进京来。"

阿尔泰山区雨量充沛,牧草丰盛,故阿山肥羊誉满京都。

清末民初,自阿尔泰至归化(今呼和浩特)驿路计86站,7300华里,俗称大西路北道。这是阿山菜羊晋京的重要通道。每当春草萌绿时节，便有大批商旅驼队，满载茶糖布药、锅碗瓢勺及各类杂货，沿驿路来阿尔泰山区贸易，以杂货易活羊。其中资本最雄厚者首推晋商大盛魁。

贸易到手的菜羊，经挑选后集结，烙印点数，排好序列，即可吆向关内。一般以一万五千只为一吆赶梯队，备毡房一顶，由一人统领四十名吆羊倌。每千只为一群，两名羊倌负责管理。另带有体型硕大、凶猛善斗之巨獒(牧羊狗)，随羊群护卫。每群羊之间，相隔二三华里，首尾相望，边吆边牧，晓行夜宿，可保持羊只不掉膘或略有增重。

经四五个月长途吆牧，到达归化远郊之羊马交易市场，再由京羊贩客收购，陆续赶往北京，正赶上冬令涮羊肉上市季节，于是“宫廷千叟国宴”、“官府全羊大席”上，阿山菜羊唱了主角。

和田桑皮纸

詹　庄

说起桑皮纸，凡是清末民初出生的新疆人，都有深刻而亲切的印象，因为它在新疆各族人民的社会文化生活方面，做出过重大的贡献。

在日常生活中，人们糊窗户，糊油篓，糊风

等,写毛笔字,记帐,绸面皮袍衬夹里,唱戏朝靴千底垫里,西瓜皮帽衬里,以及殡葬扎材和纸钱,等等,都少不了它。可见其用途之广泛,消耗量之巨大。

1916年6月19日,新疆省政府主席杨增新令全疆各级文武机关,办公一律使用和田桑皮纸。从此时起,天山南北所有军政机关的文案上,桑皮纸代替了宣纸、连史纸、毛边纸。上自省政府,下至县区乡,无论上行、平行,各类公文,档案卷宗,存档文稿,收据联单,司法传单,审讯笔录,公文封皮,登记表册,等等,无不使用桑皮纸。全疆县级档案馆中,保存七十五年的桑皮纸卷宗档案,成为十分珍贵的新疆发展史资料。

由于桑皮纸表面粗糙,使用时,必须双手紧按大块玉石,将平铺在办公桌面上的纸张,往返压磨取光,才能书写正楷毛笔小字公文。大概一个科员不到个把月就要用秃一枝笔。

民初,新疆交通闭塞,商贸凋敝,何能有现代化造纸工业?若向关内购进纸张,则成本太高。杨增新一贯采取闭关自守政策,利用桑皮纸为他的"无为而治"撑面子,似乎是顺理成章。后来虽经过金树仁、盛世才先后执政和国民党入新几个历史阶段,桑皮纸仍然在社会文化生活方面继续发挥作用。解放后,桑皮纸才被现代化造纸工业成品所取代。

旋 木 业

刘学杰

旋木业是西域最古老的行业之一。喀什的旋木工艺和制帽、金饰、织毯、土陶一样,历史悠久,名扬中外。18世纪起,受伊斯兰建筑风格的熏陶,旋木艺术从雕虫小技一举登堂入室,闯进了庄严神圣的清真寺和达官显贵的官邸。雕梁画栋、圆柱尖顶等木结构中的旋木工艺增添了伊斯兰建筑风格的魅力。

说来也难以置信,掌握旋木操刀的大都是稚气未脱的"巴郎吾斯大"(维语小孩、师傅、工匠),最大的不过十二三岁,最小的只有七八岁。30年代初,喀什的旋木作坊从小街小巷逐渐集中到吾斯唐布衣街一带,全都门市兼作坊。工房不足两平方米,一截木棍,一段麻绳,一把利刀,一架旋车,最原始的生产设备,中世纪的工艺流程,其生命力仍然如此顽强旺盛。简陋的作坊门口,悬吊着各式旋木制品:拂尘杆、擀面杖、捻线锤、桌椅腿、坎坎把、馕孔印,一串连一串,和驼铃驴车构成一幅中世纪的街景。

观看旋木操作,犹如欣赏魔术一般。旋匠时而双手握刀"割槽",时而单手执刀"削皮";或镂纹,或刻峰,变幻莫测。旋木刀具自成一格,有厚

有薄，有大有小，排列在侧。这些旋木魔刀，在旋床上左旋右转，一袋烟功夫，制品成型，当场交货。

艾沙罕热瓦甫

刘礼诚

喀什，历来是歌舞之乡，更多擅长民族乐器的制作工人。20世纪40年代初，一个名叫艾沙罕的制琴巧匠，在歌舞之乡的肥沃土壤中脱颖而出。他以势压群雄的气概，呕心沥血地制作出一件件精美绝伦、音色纯正、感染力强的热瓦甫精品。他精湛的技艺，炉火纯青的功力，一丝不苟的作风，为制琴高手们所折服。不久，以他名字命名的"艾沙罕热瓦甫"便扬名中亚一带，他制作的热瓦甫成为行家们珍藏之宝。

热瓦甫琴身由桑木精工拼镶，琴颈细长，尾部有半圆共鸣箱，蒙以蟒皮或羊皮，琴颈下端饰有山羊角状的弯角一对。通常三弦或五弦，主弦居外，余为共鸣和声弦。琴声音色清脆，有渗透力和爆发力。用于独奏，气势非凡，或似排山倒海，或似旋风滚雷。演奏者或踊或跃，情发于中，益发潇洒豪放。

艾沙罕1922年出生于疏附县乌克沙克一个琴匠世家，其父及岳父都是制琴高手。艾沙罕八岁开始习艺，矢志不移。名师出高徒，40年代初就已崭露头角，他制琴重造型的典雅大方，在音色、共鸣的协调上很下功夫。每件制品均亲自反复试音调测，务求和谐。他在琴杆和共鸣箱上镶有黑白相间的兽骨图案，骨粒采用牦牛角或骆驼骨，一把中号热瓦甫竟镶有一千六百颗骨粒，足证工艺之精。图案有菱形或三角形，具有伊斯兰的造型风格。艾沙罕的工具精良锋利，一只小刨自父亲传下来已有百余年，刨刀几经更换，刨壳锃亮，依然得心应手。

新疆的特种量器

广　荣

新疆有数种特殊量器，十分奇特，记之如下：

——坎儿井。

坎儿井，有“地下长城”之称，吐鲁番、哈密之农田全赖以灌溉。修建坎儿井工程大，时间长，费用高，普通人家只能望井兴叹。旧社会里，只有极少数的富户才开挖得起。故吐鲁番、哈密等地称地主有多少田地和财产，只讲有几条坎儿井。足见坎儿井是地主财富的象征。

——山。

山，是新疆旧时计算牧主牲畜数量的单位。

过去，牧主的牲畜多得无法数计，放牧时一条山沟连一条山沟，这山望不到那山，漫山遍野皆是。故称牧主有多少牲畜，即讲有几架山，表示牲畜数量之巨。

——羊。

旧时，羊既具有货币交换的价值，又具有计算单位的职能。以物易物时，价格一般以羊只为比价单位。一只羊换几块茶，几只羊换一头牛，便知一头牛可换几块茶了。

——帽子与布袋。

旧时，巴扎上没有衡器，也无量器。量粮食、干果等，少者以帽子盘点，一帽子值多少钱；多者则以"塔合尔"(布袋)计量。

由以上这些奇特的计量方式，足见新疆地之大，物之博，民风之淳，名不虚传。

新疆的"狗娃子"

胡正华

新疆有两种东西，浑号狗娃子；其实并非真正的狗娃子。

一种是杨增新时期发行的小额钞票，面值红钱一百文，合银二钱五分，上印一条小狗，所以群众惯称它为"狗娃子"。有一年杨将军给他的乳名叫尕蛋的小少爷过生日，请来了戏班唱堂会。名角刘芳倾浑身精力，尽唱作绝招，博得满场喝彩，大家以为杨将军必有厚赏，结果只赏了两个“狗娃子”。群众非议大帅太小气：唱得这样卖力，才赏给红钱二百文。对杨将军来说，也许是看重“狗娃子”的一种表现吧。

还有一种“狗娃子”，实际是一种土炮，也叫“土狗娃子”，是群众按照它的形状所送的绰号。1933年马仲英部陈清裕攻孚远（今吉木萨尔），孚远防务单薄，仅有长枪百余支，不足以应急。好在有过时的“土狗娃子”八门，虽则土头土脑，却也轰隆巨响，弹随火出，落地开花，土石飞溅，大显神威。再加滚木礌石，土洋并用，孚远城竟得保一时之安全。

康熙品尝哈密瓜

维吾尔族·赛买提·艾斯热
维吾尔族·玉素甫　唐尚忠 译

康熙三十六年(1697),清帝玄烨为嘉奖哈密回部归向清廷,遂封额贝都拉·伯克为札萨克一等达尔汗。额贝都拉·伯克为表达自己的忠诚,备了大批贡品进献,其中便有哈密瓜。此后哈密瓜便正式传入内地。

额贝都拉·伯克为使瓜果保鲜不变质并如期送到京师,是煞费苦心的。经多方研究访询,从一瓜农口中得知将瓜浸在纯蜂蜜中,即可长期保鲜存放。于是,他找人烧制了许多大缸,缸中盛满蜂蜜,置瓜于其中,用白蜡将缸口密封起来。然后派人带了十八个品种的瓜,行程三个多月,才抵达京师,开缸见瓜如初撷下一样。康熙帝极为高兴,他品尝了各个品种的瓜之后,认为其中两个品种最好,即“塔吾其”与“开甫温”。这两种瓜味醇香,甜而不腻,肉厚爽口,食后余味无穷;外表纹路美观,储存期长,康熙边尝边啧啧称赞。

此后哈密地区则特别扩大了“塔吾其”与“开甫温”的种植面积。当地人民有的也把这两种瓜密封在蜂蜜里储存;有的采取了入窖等其他办法,将瓜保存起来。待到次年春天,一边吃瓜,一边用筷子将瓜籽一粒粒夹起来,随即埋入整理好的土中,据说这样可使瓜种永不变质。这种方法一直延至哈密末代回王。

据查证,新疆地区的瓜有百余种,为康熙帝品尝并被赞许过的“塔吾其”与“开甫温”,现在已经绝迹。

巴旦杏

夏维荣　维吾尔族·买买提·木沙

巴旦杏(又名巴旦木)是种奇特的果品,似杏非杏,似桃非桃,只食其仁,不食其果。在瓜果之乡的新疆,够得上是干果中的珍品。

维吾尔人对巴旦木有一种特殊的感情。在艾特莱丝绸上,在潇洒大方的花帽上,还有一些伊斯兰风格的建筑物上,都有以巴旦木造型的各种图案,足见巴旦木在维吾尔人心中的地位。

博得维吾尔人如此爱戴巴旦木的另一种原因,是由于不少果核中,常常出现合抱着的双仁。外壳洁白夺目,核内双仁温存相伴,被视为纯洁爱情的象征。

巴旦木盛产于疏勒、英吉沙、莎车一带。其品种有厚壳、中壳、纸壳三类;有甜仁、苦仁、硬壳仁之分。苦仁壳坚皮厚,民间称之为“傻瓜巴旦”。

巴旦木有极高的经济和药用价值。在国际坚果市场上,每吨巴旦杏可换回十八吨半钢材。其药用价值尤高,并为医药界所确认。它含有多种维生素,对心、肺等疾病,有较好的辅助治疗效果。

巴旦木是干果、油料、木材、药物四用树种。木材质地坚硬,伸缩性小,抗击力强,不翘不裂,不受虫蚀,纹理又细,是上等木材。巴旦木又是风景树和蜜源植物。

开都河的大头鱼

王野苹

焉耆开都河所产扁吻鱼，俗名大头鱼，肉质鲜嫩肥美，风味极佳。扁吻鱼的来源很早。《山海经》载：“敦薨之水产赤鲑。”敦薨之水即开都河。《隋书·地理志》称：“博斯腾湖有鱼盐苇蒲之利。”以上书中所指的“鱼”、“赤鲑”，即为大头鱼。尤其博斯腾湖西北岸，小湖连串，河汊众多，苇蒲丛生，是大头鱼产卵、育肥的理想场所。每当春暖冰开，这种溯流繁殖的经济鱼类，也有部分随孔雀河输入罗布淖尔。在明清之际，大头鱼已为人们所赞赏，并形之于咏吟。纪晓岚有诗云：

凯渡河鱼八尺长，分明风味似鲟鳇。
西秦只解红羊鲊，特乞仑公制脍方。

清曹鳞开《塞上竹枝词》有一首云：

万壑争从淖尔输，渭干河水合开都。
细鳞巨鱼天生脍，那减松江五尺鲈。

《新疆志稿》也称：“罗布淖尔，古之盐泽地。产大鱼，黑脊方口，或曰鳇鱼是也。”这些诗文笔录，互相印证，把大头鱼与著名的鳇、鲈并称，足见其品位之高。

三四十年代，焉耆的蒙古族、维吾尔族群

众，受藏传佛教(即喇嘛教又称黄教)的影响，视鱼为神物，不敢捕食。后移民日众，南方汉族人大食其鱼，始成为各族群众的盘中佳肴。

所谈掌故，还应补充一段今话。60年代初，焉耆水管部门从额尔齐斯河大量引进白条、鲤鱼、黑鲫、银鲫等鱼种，投放于博斯腾湖，经事人不慎将凶猛鱼种赤鲈，俗称五道黑带进水域，致使焉耆著名鱼种扁吻鱼从此绝迹，令人临湖兴叹，不禁大呼："还我鱼来！"

新疆的烤肉

维吾尔族·阿不都肉苏·吾木尔
维吾尔族·玉素甫　唐尚忠 译

维吾尔族烤肉制作方式很多：用馕坑烤的、铁串子或红柳条烤的、炉墙贴烤的、平底锅焖烤的、用泥抹在肉上在火灰中埋烤的、在炒锅中焖烤的等，有25种之多。各式烤肉味美且香，营养价值很高。它的主要原料是羊肉、牛肉、黄羊肉、鸭肉、鹅肉、鸡肉、火鸡肉、雪鸡肉、鸽肉、鱼肉、羊尾巴肉，此外还有羊肝、羊肠、羊肚和羊尾巴油等。佐料有孜然、辣面子、盐、鸡蛋、面粉和黑白胡椒粉等。

维吾尔人一般以铁串烤肉，但在一些地方，

有用红柳枝串肉，用红柳炭火烤的；也不用铁皮制的烤箱，而是在地下挖个坑，把红柳炭火放在坑里，把红柳枝串好的肉放在红柳炭火上烤，更是奇香扑鼻，味道鲜美，在民间流传甚广，被认为是烤肉中的珍品。在塔克拉玛干沙漠周围的县，则以馕坑烤肉较为普遍。这种烤法是将羊皮及内脏去掉后，将整个羊吊在馕坑内焖烤。为防止肉烧焦，在羊全身抹上一层鸡蛋调好的面糊，用文火长时间烤后味道特别鲜美诱人。

哈萨克人的手抓肉

王广荣

手抓羊肉是哈萨克人的传统食品。而嗜好抓肉的又何止哈萨克人。哈萨克牧民以热诚好客闻名，喜庆节日，或家里来了远方客人，必宰羊煮手抓肉招待。哈萨克人的手抓肉有着特殊的内涵，即诚、尊、情、义四字。

诚心待客。民谚说："好客人来到羊要下双羔。"故凡前来拜访或登门投宿之客，主人无不热情欢迎，竭诚招待，而且还要精心喂养客人的马，第二天热情送行。招待客人吃的肉，诚如《新疆礼俗志》所云："如非新割者，必告之故。否则，客诉于头人，谓其寡情，失主客礼，以宿肉病我。立传其人责而罚之。"故哈萨克人待客，从来就无半点虚情假意。

尊敬客人。宰羊待客，不能宰全黑羊，认为黑羊不吉利，以黄首白身为上。进餐时，主人将盛有羊头肉的盘子献到客人面前，以示尊敬；羊头的嘴必须对准上座的客人，如对准毡房门，表示对客人不诚心，不礼貌。客人先将左颊肉割一块回敬年老的主人，表示接受主人的盛意；再割下右耳给在座的或主人家最年幼的人，割一片鼻前肉放进盘内或自己吃。然后把羊头敬还主人，向主人表示谢意。吃肉时，将臀部、肋条肉等好肉请客人享用，直到吃饱为止，否则主人是不满意的。

以肉寄情。手抓肉的每一个部位都表示着牧民最良好的祝愿和寄托。羊颊肉献给长者，祝愿老人健康长寿；羊耳朵给幼者，希望晚辈孝顺听话；臀部肉招待客人，希望客人生活富裕。席上宾主间有献“捧肉”的习俗。即将肥肉或羊尾巴油喂到客人嘴里，客人也常“借花献佛”，回敬主人膀子骨肉。主客互相祝愿，表示敬意。

哈萨克人认为，宰羊待客是光荣体面的事，也是应尽的义务。招待客人，如果到了晚上，一定要留宿。他们认为，傍晚时放走客人，是跳到黄河也洗不清的耻辱。事实上，哈萨克人从来不会拒绝客人住宿的。客人临走时，如属贵客，看中了主人家的某件东西，必须送给客人。由于这样的好习惯，哈萨克族中一直没有乞丐。

抓饭趣谈

李吟屏

在新疆，抓饭不仅为少数民族所喜爱，也为汉族人民乐于食用。抓饭色、香、味俱备，营养丰富，与拉面、烤包子、烤羊肉串并为独具民族风味的美食。

抓饭在中亚大多数民族语言中称“婆罗”，据说它的发明者是民族医的祖师罗克芒。传说古时候有一国王患病，百治无效，遂敕令名医罗克芒诊治。罗克芒诊断病情后，随手开一处方，交厨师配做。厨师如法炮制，成品即曰“婆罗”。国王食毕，沉疴立愈，精神倍增，十分高兴。

抓饭，是汉族人据其食用方式所起之名，在新疆汉文地方文献中，最早出现于清代。当时人明言：“以羊肉和大米做饭，名曰抓饭。”抓饭之名在新疆历史文献中出现的时间，与维吾尔族关于抓饭是清代由安集延人传入喀什、和田等地的说法正相吻合。据一些维吾尔族老人讲，抓饭本是中亚乌孜别克斯坦盛行的一种饭食，清代大量的安集延商贩流入喀什、和田等地，经商客居，遂使抓饭的做法被新疆人学会，并迅速普及。19 世纪中叶，被流放到新疆的爱国官员林则徐，曾遍历南疆八城，饱尝了抓饭，留下了“稻粱蔬果成抓饭,和入羊脂味总膻”的诗句。

据说,新疆民间原先有一种叫“吐米力曼”的饭食。其做法是:把净米与黄萝卜一同下锅煮熬,待水干熟透时,把一些清油均匀地浇在米饭上。然后加锅盖焖蒸片刻。抓饭传入后,用此法做的米饭就不常见了。

做抓饭可用清油,亦可用羊油,有放葡萄干的,有掺藏红花的,不一而足,因人而异;但传统的大类总不外乎以下三种:

一、“婆罗”。其做法是:先将大块羊肉放入沸油拨炒,加入安息茴香等调料,再下黄萝卜丝(或块),待其熟后下净米,水略干即加锅盖焖蒸。

二、“肖尔兰婆罗”。肉和黄萝卜一同放入沸油拨炒,并加调料,待其熟透后下净米,不加锅盖焖蒸,水干后即可食用。这种饭一般较软,水分较多。

三、“班叹婆罗”。做法同普通抓饭,一般不放肉。另炒肉菜,菜中加未熟青杏。肉菜盛于抓饭之上拌合食用。

馕

唐尚忠

馕是维吾尔民族的传统主食,是新疆一种

独特的风味食品，它酷似汉民族的锅盔或大饼，色、香、味俱佳。

这种维吾尔人传统主食的形成，已有很长的历史。从游牧社会发展到农业社会之后，维吾尔人便将麦粒碾成面粉，加水和盐揉成面团，再将面团摊成薄薄的面饼，埋在刚烧尽的草灰堆里烤熟，这便是初期的烤馕，古称“胡饼”。

随着社会的发展进步，专供烤馕的炉子逐步改制成型。炉子的形状像个大肚子水缸，口小肚大，无底。用黄泥加硝烧制而成，叫做馕坑。然后用砖或土坯砌一个坑架，将馕坑架放固定。底部开口处从地面下挖三四十厘米深的地穴大槽，在那里放柴点火，等馕坑里达到一定高温时，洒一点盐水调温，然后将发酵适度的面，不用小苏打也不用碱面中和，揉擀成饼状，蘸上水，从下而上贴在馕坑内壁上，坑口用铁皮压砖盖着，二十分钟后揭盖，用铁钩取出，便成香喷喷的熟馕。

馕成圆形，边缘一圈约厚二三厘米，中间一大块薄约四五毫米。制作时，一般要加盐和皮牙子（洋葱），馕面洒有芝麻或类似芝麻的“西亚旦”（黑种草）并戳有花纹，这是普通的馕。还有肉馕与油馕，和面时加上盐、羊油、酥油或其他植物油、碎肉等烤成。讲究的人家还和上搅拌好的鸡蛋、牛奶、酥油等营养丰富的原料，做成大小不同的馕。大的如库车、新和等地的大馕，直径为四五十厘米，馕面较薄，洒有茴香、薄荷的

碎末。油馕可以存放一年,吃时仍然香酥可口。小的只有四五厘米,有的边厚内薄,有的小圆形全厚五六厘米,中间有一小圆窝。有客人来时,将馕掰成若干小块放置盘中,请客人就手抓羊肉、羊肉汤或奶茶等食用。

馕吃起来外软甜,内酥脆,略带淡咸味,热呼呼、香喷喷的十分可口。这不仅是维吾尔族人早晚就奶茶、面片汤的主食,就是居住在新疆的各族人民也都十分喜欢吃。

马奶酒

哈萨克族·帕提汗·苏古尔巴也夫

哈萨克族·乌鲁克班 译

马奶酒,是用骒马奶子酿制而成的,哈萨克族人叫做"合木孜",是哈萨克族人民在夏季最喜爱的一种饮料。

骒马每天可挤奶八至十次。把挤下的鲜马奶直接灌进皮酿袋里进行发酵,再用奶杵搅拌,搅拌时间越长,马奶子质量越高。如果皮酿袋里放进一公斤阉羊尾巴脂肪,可使合木孜颜色变黄,味道更为浓郁芳香。有些人家为使马奶酒喝起来格外可口,还放进两三粒马前子或柯子。

鲜马奶经过二十四小时的发酵(一般用提

去酥油的酸奶子作发酵液)，就变成酒精含量达十至十二度的现成合木孜。除留少量作为发酵液外，其余的倒出来盛在木制容器里保存。

哈萨克族人酿制合木孜，不是为了作买卖，也不是供自己喝用，而是节省下来专门招待尊贵的客人和过路而暂时留步的旅行者，以及无意中来投宿的客人的。

合木孜是非常令人喜爱的一种饮料。因此，在一次筵席上，有人一口气喝掉六七碗合木孜，是很正常的事。有些上瘾的人，一次可喝下十五到二十碗，甚至更多。

不过，请注意，过度饮用，会使你酩酊大醉的。

蒙古人的奶制食品

蒙古族·布娃

奶茶，蒙古人叫“吴斯台茶”。对马背民族来说，具有“不可一日无此君”的感觉。奶茶一般用鲜牛奶或羊奶加砖茶和食盐熬煮而成。如果加上一勺酥油或奶皮子，不但奶香扑鼻，而且味道更美。

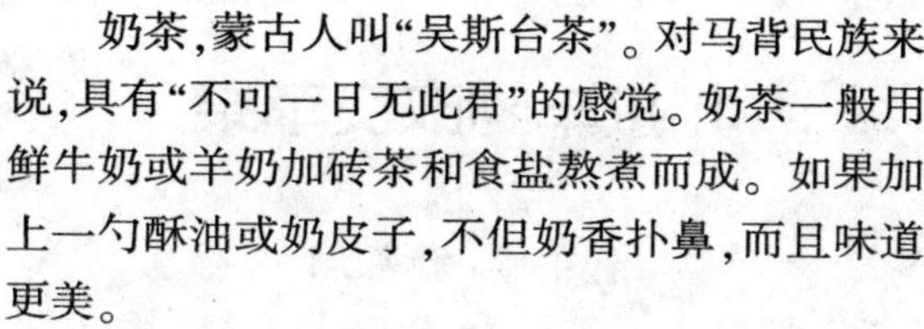

蒙古族妇女善于用牛、犏牛、山羊、绵羊、马、驼的奶汁制作多种食品或饮料。在饮食中少不了乳类，这大概是蒙古族男女体格健壮的重

要因素。

在蒙古妇女调制的奶制品中，可以分为酸乳、奶酪、奶酒三大类。酸乳又有它日格(酸奶子)、艾日格(酸奶)、其的米克(酸奶水)、怀尔木格(乳浆汤)等。其中艾日格是制作其它食品的基本原料。

奶酪类中以下尔托生(酥油)为珍品。它是将奶皮放入酸奶中加工而成。还有吴日格 (奶皮)、艾孜该(奶块糖)、巴西力克(奶饼)、艾地米格(酸奶皮)、许日木格(奶干)等。奶酪可以说是乳类中精髓,营养价值特高。

奶酒有两种,将马奶烧开,加入少量的水,倒入酸奶桶中发酵，就成马奶子酒，蒙语叫其干。还有一种叫色林艾日克,即奶酒。清香扑鼻,入口甘醇。

这些乳制品,或干或湿,或甜或酸,味皆鲜美,并对某些疾病有一定的辅助治疗效果。可以自吃,也可馈赠亲友,贮存又较方便,是草原饮食文化的代表作。

扎拉丰阿改良苹果

锡伯族·舒慕同

扎拉丰阿,姓郭若洛,锡伯族,伊犁索伦营骁骑校。他曾在俄境多年，接触了资产阶级文化，眼界大开，学会俄罗斯和哈萨克语言。回国后成为难得的外交人才，先后被任为塔尔巴哈台办事大臣、参赞大臣，主持北疆同沙俄之外交事务。

他早就知道阿拉木图(哈萨克语为“苹果之父”)有从沙俄欧洲部分引进来的优良苹果，就从阿拉木图运进良种苹果来代替伊犁本地又小又酸的土苹果，在伊宁市那哈拉集乡买了二十多亩肥田，于1908年办起良种果木园。雇用果农精心嫁接培育，经过十多年的努力，这座果园就成了在伊犁各地繁殖“阿波尔特”、“司托洛为”、“派力蒙”、“海力蒙”、“满帕色”、“卡尔托什卡”、“帕拉的斯卡”、“那波伦”等十来个优良品种的基地。伊犁便成为塞外苹果之乡。“阿波尔特”之大、之美和可口，直到现在仍居首位。

回族人的盖碗茶

广　荣

回族人喜欢饮茶，甚至将请客吃饭都叫做“喝茶”，足见其对饮茶的嗜好。回族人的提亲、订婚、探亲访友赠送的礼物中，茶叶必不可少，显示了茶在回族人生活中的地位与作用。

用盖碗沏茶是回族人的特殊爱好。盖碗由茶碗、掌盘、碗盖三件配套组成，故俗称“三炮台”。茶具造型以古朴大方、精巧雅致为佳。江西景德镇的青花等四大名瓷最受回族人的青睐。以蓝、红色镶金边视为珍品。茶具上切忌人、兽图案。

茶叶选用也有讲究。昌吉州一带回族人对性寒味苦的绿茶,色浓味重的红茶不太饮用,却偏爱云南、四川的沱茶、湖南的薰茶。但也因地而异,伊犁回族人的盖碗茶讲究用祁红,而内地迁来的则爱饮普洱、滇绿。一般来说,砖茶、茯茶属粗茶,是不能沏盖碗茶的。回族人的沏茶,名目繁多。招待客人,以干果、白糖或冰糖沏泡的,称“白糖清茶”、“冰糖窝窝茶”;用桂圆肉、茶叶、冰糖沏泡的,俗称“三香茶”。喜庆节日,或招待贵客佳宾,则用芝麻、桂圆肉、花生仁、葡萄干、杏干、方块糖等沏泡,称为“八宝茶”。除喝茶外,还要上馓子、干果、水果糖、方块糖等十三样碟子,请客人品尝。给客人上盖碗茶,要在吃饭之前。沏茶时,要当着客人的面,将碗盖揭开,加入冰糖、核桃仁、桂圆肉等,然后注水加盖,双手递送,表示尊敬,亦可表明这盅茶不是别人喝过的剩茶。

盖碗茶,不仅在回族饮食文化中独领风骚,也发展到了文化领域。其“盖碗舞”就源于盖碗茶。舞蹈者手持“三炮台”翩翩起舞,斟茶敬客,舞姿优美,独具民族风韵。

哈萨克人的茶文化

王广荣

柴米油盐酱醋茶,茶居末。而在哈萨克族人的生活中，茶则居首。哈萨克族人无论男女老幼，皆喜欢饮茶,“宁可一日无食，不可一日无茶”,这就是哈萨克族人长期形成的茶文化。他们一日三餐都离不开茶,所以有“无茶则病”之说。因为茶能开胃,哈萨克人以肉食为主,饮茶能去油腻、助消化。故说“一日不喝茶,头就疼”,是有一定道理的。

哈萨克族人最喜欢饮用米心茶,次为茯茶。他们对熬茶十分讲究。熬茶,以铜壶最佳。燃料有牛粪、木柴、煤等。将水烧开,放入适量的茶叶,熬到一定程度,放入少量的盐末,再熬。沸后,不断用勺子扬茶,直至茶、水交融,熬成酽茶才喝。熬茶要掌握火候,哈萨克妇女的茶经是:一看二尝。看茶水颜色的浓淡,尝茶水味道的咸甜。以酽而不涩,甜中带咸为上。喝一口,回味无穷。

哈萨克人更多的是喝奶茶。熬奶茶,先熬成酽茶后在茶中加入牛奶或羊奶即可。奶茶也可不放盐，待喝时各人根据口味增减盐量。奶茶中,或加奶皮子,或加酥油,或二者一齐加放。哈萨克的茶、奶茶,以热为佳,边喝边淌汗,舒筋活血,祛疾除病。“大汗淋漓喝奶茶”,越喝胃口越好。这也是奶茶诱惑人的缘故。

茶具一般用江西景德镇、河北唐山等地的细瓷碗,小巧玲珑,碗上花纹清雅、精致。喝茶与艺术享受,可谓一举两得。

提起煮茶的功夫与茶德, 往往免不了要谈到日本的茶道。其实不然,说到茶道,哈萨克人的并不逊色。

哈萨克人十分讲究茶德,分述如次:

诚——以诚待客。只要有客人来到毡房,无论相识与否,都要以奶茶招待。首先,女主人为客人铺上最干净的毡子,让客人坐于上席。落座后, 男主人陪客人叙话, 女主人便忙着去熬奶茶。奶茶熬好后,铺上餐巾,拿出家里最好的食品,请客人边喝边吃。

敬——虔诚敬客。客人喝茶时,往往由女主人或小女孩跪坐倒茶,表示对客人的尊敬。倒茶时不能将茶碗斟满,六七成即可,倒得太满或使茶汁溢出碗外,是对客人的不敬。主人斟茶、端茶时不能使自己的手指浸入茶内。客人喝多少碗,女主人就斟多少碗;喝多长时间,就跪坐斟多长时间,从不离席。

廉——廉俭清雅。哈萨克谚语说:“对于不速之客,一杯清茶也算是招待。”哈萨克人的心是明亮的金子,不夸饰,不遮掩。走进毡房的人便是客,以茶代酒算招待。

养——修身养性。酽茶一碗，品茗陶情；叙谈问候，以茶联谊。俗话说：“入乡问俗。”到哈萨克毡房里作客喝茶，要懂得哈萨克人的茶礼，例如：客人或其他人不能随便提壶斟茶，客人无论想喝不想喝，至少要喝两碗以上，以示对女主人的尊敬。客人喝好后，或以五指盖碗，或将茶碗反扣于餐布之上，表示已喝好了，女主人便不再劝斟。但不能离席，一定要等大家都喝好为止。

围着火炉吃西瓜

王广荣

我国种植西瓜以新疆最早。李时珍《本草纲目》说：“破回纥，始得此种，以牛粪覆而种之。”徐光启《农政全书》云：“西瓜，种出西域，故名之。”

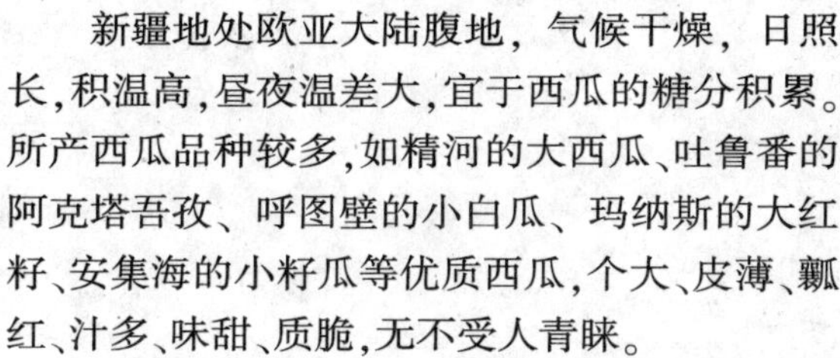

新疆地处欧亚大陆腹地，气候干燥，日照长，积温高，昼夜温差大，宜于西瓜的糖分积累。所产西瓜品种较多，如精河的大西瓜、吐鲁番的阿克塔吾孜、呼图壁的小白瓜、玛纳斯的大红籽、安集海的小籽瓜等优质西瓜，个大、皮薄、瓤红、汁多、味甜、质脆，无不受人青睐。

新疆瓜甜，除得力于气候、水土之外，还由于用苦豆子作肥料。内地人到新疆，初尝新疆西瓜，无不啧啧称羡。每当西瓜成熟季节，棚摊林

立,叫卖声不绝于耳。走家串门,大都以瓜代茶,招待客人。

新疆西瓜产量高,价格特别便宜。一般人以瓜解渴,很少喝茶,一开几个,吃到肚圆腹胀为止。城乡不少人家还有“西瓜泡馍”的吃法。将刚出笼的蒸馍,用手掰成小块,置于筐内风干,俗称“风干馍”。风干馍见水就融,西瓜一切两半,放进风干馍,让其与瓜瓤融合,瓤甘甜,馍酥脆,的确别有风味。

新疆西瓜有夏瓜、冬瓜之分。夏瓜皮薄,上市早;冬瓜皮厚,耐贮藏。到了寒冬数九之天,室外大雪纷飞,屋内炉火正红,众人围坐,分食西瓜,更富特殊的情趣。故有“早穿皮袄午穿纱,围着火炉吃西瓜”之谣。不少群众总结出了沙子垫瓜、草围垫瓜和麦堆埋瓜等保鲜法,将大西瓜保存到春节,给拜年的客人分享一下“冬瓜”的风味。

寄包裹的奇俗

李吟屏

叶城县棋盘乡地处偏远的昆仑山中，是塔吉克、柯尔克孜等民族杂居的地方。由于长期以来各民族在文化、心理上的交融，所以形成了一些独特的风俗习惯，寄包裹的奇俗即其一例。

棋盘人在向远方的父母、子女、亲友和妻子邮寄装有食品、衣物的包裹时，往往在包裹里放一粒石子、一块木炭、一根麦草、一片羽毛等物。缝合包裹时把一角反折过来缝上。这些做法有一定含义：

反折一角：表示“你不在我身边，我孤独无

依，连头都耷拉下来了；我引颈盼望你归来，以至连脖子都望歪了”。

石子：表示“因你一去无音讯，毫不思念我，你的心比石头还硬”。

木炭：表示“别离之火把我熊熊燃烧，最后竟被烧成焦黑的木炭”。

麦草：表示“我想你，咽不下饭，睡不着觉，因此我的脸变得像麦草一样苍白”。

羽毛：表示“我欲去到你身边，但是路途遥远；我想飞往你身旁，但是没有翅膀。真是一筹莫展”。

父母和子女之间互寄包裹时不放木炭，因这种方式多为异性之间互表爱情所用。

婚俗中的数字

广　荣

数字是一种象征。民间在婚俗中极重吉祥数字的选择与应用。汉族、回族人尚双忌单，而哈萨克族、蒙古族、柯尔克孜族人则崇单忌双。

哈萨克族重七和九，尤崇七。认为七是吉祥之数。七与哈萨克族人的婚姻结下了不解之缘。“哈凌玛了”（聘礼），较多的是七十七匹马，中等户为四十七匹马，最少的也有十七匹马。嫁妆为五至七件，各种“吉尔特斯”（彩礼）必为五、七、九数，切忌偶数。若同一部落的人通婚，必须是七代以上，联婚人家必须隔七条河之遥。

蒙古族婚姻的聘礼崇九尚白，以九为极限，必须是九或九的倍数。三匹白马、三只白羊、三峰白骆驼，合而为九。或九匹马、九头牛、九只羊，合为九的三倍。但蒙古族视夏历九月为结婚的忌日，历来九月不办婚事。姑娘年龄逢九（不含九的倍数）不嫁。既崇九而忌九，倒是一奇俗。

柯尔克孜族以九为吉祥数。故订婚的聘礼多为九头牲畜，九件物品。订婚仪式称“托库孜喀拉”，意译即为“九头牲畜”。所谓九头牲畜，一般包括一峰骆驼、四匹马、四头牛。亦可为相当于九头牲畜价值的羊群。

回族则敬重偶数，婚姻中尚四。男女双方要请四位媒人；不可缺少的礼物算“四色礼”，即茶、方糖、枣、核桃或点心四样；订婚的衣料（服）要四套，或八套（四的倍数），必需是花、红、绿、蓝四色。婚后第四日，新娘下厨。均以四为吉祥。

有关数字的习俗

维吾尔族·热外都拉

维吾尔族·玉素　唐尚忠 译

“数字”是一种计算概念，与人的生老病死、吉凶祸福并不相干。但由于世俗习惯,人们往往对某些数字有偏爱或厌恶，这大概是一种奇特心态。

维吾尔人对三、七、九、四十这些数字很崇拜,认为是吉祥之兆。

例如：维吾尔人有些成语含有数字标准,如:“九件事俱备了”,这个“九”表示事事俱备,是泛指;又如:“一次不算,三次才看”,这“三”表示最后的意思;“九个女儿同时分娩”，意思是说，急事同时发生;“我要积三十，真主要减至九”,就是说,事倍功半,努力也无用。

汉族人爱用“九霄云外”一词,而维吾尔人则说“七霄云外”。

哈密地区在婚礼习惯上，男方给女方送聘礼时,要布料九块、活羊九只、小麦九斗、大米九升、清油九斤、干果九种。

同伴之间,为了表示感谢,就说:向你致九鞠躬!

此外,维吾尔族人作祭祀,一定是三天、七天、四十天;初生婴儿四十天后才洗澡理发。当然,这种习惯现已改变。

维吾尔人所说的九,并不是极限,可少些,也可多些。因为“九件事”、“九鞠躬”是习惯用语。

南疆的“阿不达勒”人

阎又春

生活在新疆南部地区的人，常可看到一些似定居而非定居，非定居而又似定居的乞丐。他们当中有的赶着马车，马车上拉着全部家当；有的骑着马或毛驴要饭，如今也有骑着摩托车要饭的。上述情况说起来难以让人相信，但这毕竟是活生生的事实。这就是被当地维吾尔族称之为“阿不达勒”的人。

“阿不达勒”，按维吾尔语义是泛指逃荒要饭和割小男孩包皮的人。在维吾尔族的生活习性中，男孩在八岁左右时都要行“割礼”，而从事这一职业的大都是“阿不达勒”人。

对“阿不达勒”人，众说纷纭，有人说他们是吉卜赛人；有人说他们是来自阿拉伯囚提的游民；也有人说他们是从原始森林中走出来的部落人。“阿不达勒”人在今日的疏勒、巴楚等地较为常见，尤其是在巴楚县的色力布亚镇，有一个居民点全是“阿不达勒”人。他们不但有自己的语言，而且还有自己的生活习俗。据当地较为熟悉他们的维吾尔族群众介绍，“阿不达勒”人风俗十分独特：与其他民族不通婚；男孩子成年后，必须经过外出讨饭这一关才能婚配，否则本民族的女人都不愿嫁给他。他们过去大体上干着三种职业:要饭、理发、割包皮。

长期生活在维吾尔族聚居地区的“阿不达勒”人,究竟起源于何时何地,至今没有一个准确的考证。不过,在与“阿不达勒”人经常接触的民族同志当中,有一个传说倒是值得一提:传说在一百多年前,伊朗北部地区发生了战争,一些不愿战争、爱好和平的人纷纷外逃,其中一部分就流落在今日的新疆南部地区。

白头偕老

田文成

蒙古族男女青年,婚姻大事多由媒人介绍,双方父母作主,自由恋爱较少。他们由于长期以牧为生,居住分散,一旦成婚,男女双方很少分离。据说,这种良好的婚姻习俗,是由一个动人的民间故事促成的。

从前, 在包尔图地方住着一对蒙古族年轻夫妇,男的叫艾仁才,女的叫芽皮里,两个人恩恩爱爱,相处得很好。

有一天傍晚,芽皮里从锅里舀奶茶时,手未抓紧勺子,一勺滚烫的奶茶倒在小孩手上,小孩的手顿时起了红泡,痛得哇哇直叫。这就激怒了在一旁的艾仁才,他顺手拿起马鞭,朝芽皮里身上没轻没重地抽打。芽皮里忍受不了，就夺门跑了出去。

芽皮里在蒙古包外，欲进不敢，只得蹲在离家门几十米外的草滩上，伤心流泪。夜幕慢慢降临了，她在外面又冷又饿，人也困倦，不知不觉在草滩上睡着了。这时，有几只饿狼跑到芽皮里跟前，把她叼走了。

艾仁才在家好半天才哄住孩子，方想起一时愤怒不该打老婆，带着歉意出门去找，他边走边喊，但始终没有找到。

第二天，人们在山脚下找到了芽皮里的鞋，和狼吃剩下的几根骨头。艾仁才这时放声大哭，万分悔恨地捶胸顿足，但是再也见不到心爱的芽皮里了。

从此以后，蒙古族男人再也不为小事指责、打骂自己的老婆。男人对女人都很尊重，女人们在天黑时决不走出蒙古包。即使个别男人用马鞭打自己的老婆，女人也只是一圈圈地跑，始终不离开蒙古包。天长日久，在蒙古族群众中形成了不打老婆、不离婚的习俗，也出现了一条“蒙古女人棒打不离蒙古包”的谚语。

吐鲁番葡萄晾房

维吾尔族·阿·吾铁库尔

吐鲁番的名贵葡萄无核白，皮薄，糖份多，产量高，成熟早；晾干后，可以储存很长时间，经济价值很高，不仅全国闻名，在国际上也很有名气。但没有到过吐鲁番的人，却不知道这些晶莹透剔的新鲜无核葡萄是怎样晾成碧绿的葡萄干的。

到吐鲁番后，一出城便可看到在一片开阔地的高处，有一排排用土块垒成的四面都有整齐墙洞的房屋，这就是专为晾制葡萄干修筑的晾房，维吾尔语叫做“群切”。

“群切”一般都建造在通风好的地方，四面墙都砌有规格相同的小洞。晾房高约五米，防止阳光直接照晒。晾房内竖有许多长杆，杆与杆之间有一定距离，杆上凿有许多小孔，在小孔平行线上穿着很多小签子。葡萄成熟后，一串串摘下来吊挂在横签上。经过四十至五十天，这些新鲜葡萄便晾干成为一颗颗香甜纯净的葡萄干。晾干的葡萄干从签子上取下来，轻轻一抖，颗颗碧绿的便尽落于席地上。

沙迹辨踪

许广华

解放前,南疆和田一带土地严重沙化,农业产量很低,农民生活很苦。道路上尘土厚及脚面,农民平时都赤足走路,只在进城时才带上靴子,走到城内时方才穿上。农民出门时,都在门外或院中洒上水,用扫帚扫平。晚间回来一看沙地上的足迹,就知道是谁曾来过,有什么事情就马上办好。在沙漠绿洲上,人烟稀少,每个人的足形都有特征,故能辨别出来。

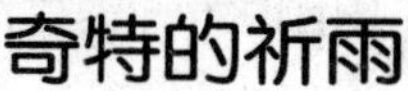

奇特的祈雨

许学诚

祈雨固属迷信活动,是人类蒙昧无知的产物,但它与农事密切相关,所以千百年来总被罩上神圣的灵光,而各地人民的祈雨活动也花样翻新,层出不穷。清末民初流行于巴里坤的祈雨活动就有好几种,其中有一种叫作“打海子”的祈雨方式,别开生面,颇堪记述。

位于大河乡西南的巴里坤湖俗称西海子，“打海子”正是打的巴里坤湖。此湖分水海和盐海两部分，两海界限极不分明，难免相互侵流，这侵流便被认作致旱的根源。于是，全乡成百上千的精壮男子，十分迅速地组织起来，骑马的骑马，坐车的坐车，但绝不要老牛和毛驴这般缺乏叱咤精神的生灵参与。车马分行，列队前进，车辚辚，马萧萧，骑士车手横眉立目，肩荷银锨，于粉尘雾霭中奔驰，大有如临大敌，浴血奋战的气概，绝不似拜求龙君，倒似喝令天公速降甘霖。只见一团团泥沙从银锨口飞出，击向那湖水盐渍侵流之处，顿时激起水花飞溅，远看如彩虹蒸腾，景象十分雄浑壮观。

这种独创性的祈雨方式，活生生地体现了西部人的个性，即不畏惧神灵命运的摆布，敢于顽强不屈的奋斗和抗争。若用文艺审美的目光来看，它充满了阳刚之气，美得浑厚，美得奔放豪壮。

垒旺火闹元宵

许学诚

巴里坤的汉族过元宵节别具一格，家家户户都要垒起一堆旺火。据说此种习俗还是从关羽故乡山西蒲州“引进”的，带有敬仰关羽的意义。

元宵节这天，小城沿街两旁所有门面，都用煤块垒起三尺许高的锥体小塔，俨然成了黑色塔林。一俟夜幕降临，家家便点燃了塔体内的柴草。这种优质煤见火即燃，边燃边融，块块粘连，致使危如垒卵的煤塔顿时融为一体，火势也越燃越旺，满街火苗喷窜，紫烟缭绕，犹如琼楼仙境一般。顺街望去，座座火塔连作条条长龙，随山势起伏盘旋，呈腾飞之势，实在妙不可言。况且，数九寒天里点燃如此众多的火堆，给小城带来了春天般的温暖。这也是巴里坤人喜迎姗姗来迟春天的一种良好愿望。据说山西蒲州早已不兴此俗，但在巴里坤仍照垒不误。

猫冬·龙头节

王广荣

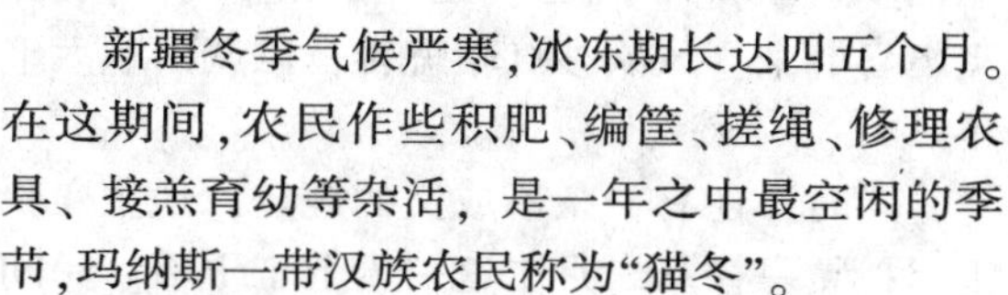

新疆冬季气候严寒，冰冻期长达四五个月。在这期间，农民作些积肥、编筐、搓绳、修理农具、接羔育幼等杂活，是一年之中最空闲的季节，玛纳斯一带汉族农民称为“猫冬”。

俗话说：“腊月，正月都是年。”新疆汉人重年节，从腊月即开始准备年食，正月初一至十五元宵节，家家户户忙于过年，几乎不问农事。

直至惊蛰，是“猫冬”惊醒的一天。哈密地区有谚云：“早上惊了蛰，后晌拿犁别。”惊蛰日，伊犁地区家家喝酥油(或羊油)、鸡蛋、蜂蜜一起熬的汤,名曰“清火”。有的地区吃油(动物油)冲鸡蛋。过了惊蛰,大地复苏,开始进入农忙季节。这一天,农村有“饮牛”的习俗,以蛋清拌清油灌牛,一直沿袭至今。

新疆真正忙于春耕,要到二月二的龙头节。龙头节又称为“青龙节”。二月初二日,民间视为龙抬头之日。旧时,从初一起,家家便挂起灯笼,“笼”与“龙”谐音,以示“龙飞”。初二日,人们去土地庙上香敬神,求神保护年丰岁熟,粮谷满仓。是日中年人开始留胡子,名曰“龙须”。此日禁忌开磨磨面,用砖将上扇磨盘垫起,表示“龙头”抬起来了。

二月二,玛纳斯县汉族农民还要扮(扭)秧歌。有四名打腰鼓的,四名“花姑娘”,四名捧棰娃,边打,边扭,边唱。领唱人被戏称为“膏药匠”,手拿彩布制作的雨伞,见啥唱啥,每唱一段,落点时齐呼“膏药”。秧歌队走一村唱一村,唱词多为歌颂升平,如:“正月十五庙门开,庙里飞出喜鹊来,风吹纱灯轱辘转,风调雨顺太平年。”

同时,还有一条不成文的规定,地主雇长工、月活,一律从二月二这一天上工干活。民间庙会活动,除烧香敬神外,还借庙会之机,选庙会会首、农官。农民则借庙会相聚,集议农事,交流生产经验。

龙头节,各地农村的节日饮食因地而异。一般的要吃擀长面,俗称“龙须面”。有的还要炒苞米花,俗称“金豆花”。伊犁地区有的人家吃烙饼和焖子(即炒凉粉块),传说这一天是太阳的生日,吃焖子可以消暑祛热。

节日一过,农民便开始了一年繁忙而辛苦的农事活动。

再 生 石

李吟屏

皮山县科什塔格乡苏勒尕孜河谷斯坎吉地方,有一座叫吐修克塔西(意为有孔石)的麻扎(坟墓)。麻扎坐落在两水交汇处的山坡下端,其上有一坟墓,树有栅栏、旗纛,传为一女圣人之墓。墓下方斜坡左侧有巨石突兀而立,石中有两洞,一为方形,一为菱形,大小均可容一人之腰,由河滩穿过石洞即可登上山坡。当地民间历来视此石为圣物,迷信其有再生之功能。常有生子屡亡的夫妻,携新生婴儿,跋山涉水,远道来此,于石孔前脱去婴孩旧衣,弃之不顾,再将赤身婴孩穿过石孔,另换新衣,抱之归乡。这样,迷信者认为小孩就重生了一次,已脱胎换骨,可保健康成长。笔者亲至其地,见石孔前孩童旧衣裤委积成堆,知此事确然。上古自然崇拜之风,竟能延及今日,实乃奇迹!

求子树

李吟屏

洛浦县吉亚乡境内的伊玛目·阿森麻扎是一处古老而又闻名遐迩的"圣陵"。此地有棵胡杨树，民间认为对它求子非常灵验，许多夫妇不畏途远，来此树下求子，欲得男孩者，插刀于树，欲得女孩者，插针于树。每值春夏之交，朝拜圣陵者云集，犹如内地之庙会。届时胡杨树身，刀、针密集。日积月累，胡杨竟致枯死。后被大风从根部刮断，又被人竖立在圣餐房旁，作为圣陵标志，尊之如故。

后　记

《昆仑采玉录》是《新编文史笔记》丛书的新疆分册，由新疆维吾尔自治区文史研究馆编辑。这束小花是新疆各族文史工作者对精神文明建设的微薄贡献。

我们的祖国自古以来就是一个统一的、多民族的国家，新疆从来都是祖国领土不可分割的一部分，如今是中华人民共和国民族区域自治地区之一。境内十三个世居民族共同缔造了如花似锦的文明，谱写出流传千古的不朽乐章。远在汉唐时代的丝绸之路，就是穿越西域的长廊，沟通了欧亚两大陆之间的经济交往和文化交流，同时也出现了民族的迁徙和文化的融合。新疆的历史，从古到今都生动地记录了各族人民对中华民族的历史发展所做的伟大贡献。今天，如实地反映这些历史，有助于弘扬民族文化，维护祖国统一，增强民族团结，也有助于进行爱国主义教育。这同样是编辑新疆分册《昆仑采玉录》的指导思想。

在收录的一百三十七篇文稿中，亲见、亲闻、亲历的“三亲”材料占36.2%。其中如《巧遇周恩来副主席》、《董必武题诗紫云砚》、《曾问吾皈依伊斯兰教》、《“七七政变”亲见片断》、《“逆眷”大院亲历记》、《给蒋介石送礼》、《蒋经国访问吐鲁番》等均系鲜为人知的史料，首次公之于世，起到了拾遗补缺的作用。有十九位年逾古稀的老人热情执笔撰稿，其中八旬老人就有七位。值得一提的是自治区文史馆馆员、八七高龄的王子钝老人，在辞世前还在抱病撰稿，其精神感人至深。

《新编文史笔记·新疆分册》的编辑工作是在自治区党委和政府领导下进行的。区人民政府副秘书长兼参事室主任买买提·司马义(维吾尔族)十分重视《文史笔记·新疆分册》的编辑出版，多次主持编委会议，亲抓审稿定稿，严格把关；参事室副主任文林(锡伯族)自始至终主管分册的征稿、编辑和审定工作。自治区文联名誉主席、老作家刘肖芜担任新疆分册编委会名誉主委，亲自把关审稿；书法家李般木为本册题写书名，充分说明了新疆各族人民对新疆分册的热情支持。参加审定工作的编委有：伊不拉音·穆提义研究员(主委、维吾尔族)、郭平梁研究员、文史馆李京西副处长，还有胡正华副研究员。本册主编为：陈希明(副主委)、欧阳克嶷、吾铁库尔。

新疆分册从组建编辑班子到定稿，历时八个月，这对基础弱、馆藏全无、起步又晚的新疆文史馆来说，困难是能够想象的。正因为时间紧迫，且主编水平有限，新疆分册的各个方面难免还存在缺点和错误，尚望各方专家不吝指正。

编　者